les composts et les engrais

R. Sulzberger

Chantecler

TABLE DES MATIERES

Qu'est-ce qui rend un endroit fertile?

La couche supérieure est l'élément déterminant d'un bon sol, car c'est là que les plantes vont venir s'enraciner. Et comme tous les autres organismes vivants se nourrissent directement ou indirectement des plantes, il est exact de dire que cette couche supérieure d'humus est la source de toute vie. La boucle est bouclée, lorsque tous les êtres vivants, après leur mort, retournent finalement à la terre.

Ceci est rendu possible car d'innombrables micro-organismes vivent dans le sol, et utilisent les restes de plantes pour les transformer en humus. La structure favorable de l'humus établit un équilibre harmonieux entre l'air et les cours d'eau souterrains. Le processus de transformation constant approvisionne les plantes en éléments nutritifs. Dans la nature le cycle fonctionne de manière indépendante, grâce aux feuilles mortes et autres parties de plantes flétries. Dans le jardin, il faut s'occuper de l'approvisionnement: couches de mulch, engrais vert, fumier et compost assurent l'apport nécessaire en substances organiques.

Lorsque la couche d'humus disparaît ou devient toxique, l'existence des plantes, et ensuite celle des animaux et par voie de conséquence notre existence à nous les hommes, est menacée. L'amendement du sol, réalisé de manière compétente, n'est pas seulement un mal nécessaire mais aussi une tâche lourde de conséquences et de responsabilités pour celui qui possède un jardin.

La fertilité du sol est la principale condition pour une végétation saine.

La nutrition des plantes

L'azote, principal élément nutritif

L'air et l'eau procurent à la plante les principaux éléments chimiques dont elle a besoin pour sa croissance: la plante absorbe le dioxyde de carbone (CO_2) et l'oxygène (O_2) dans l'air, tandis qu'elle puise l'eau dans le sol (H_2O) par ses racines. Enfin, les rayons du soleil dispensent à la plante l'énergie nécessaire à la photosynthèse et par là, lui insufflent le souffle de la vie. La "photosynthèse", tel est effectivement le mot magique.Grâce à ce processus rendu possible par la chlorophylle, la plante capte l'énergie solaire, ce qui lui permet d'emmagasiner de l'eau et du dioxyde de carbone, et de transformer ces matières premières en hydrates de carbone. Ces hydrates de carbone sont des sources d'énergie chimiques: le glucose en est la forme la plus connue. De tout ce processus, il reste de l'oxygène. Celui-ci sera expiré par la plante. Les quelque cinquante autres éléments chimiques nécessaires à la croissance de végétation sont présents dans le sol et peuvent être absorbés par les racines. Autrement dit, ne poussent sur un sol que les plantes

dont la croissance est rendue possible par les propriétés de ce sol. Par contre, dans un jardin, c'est l'homme qui choisit pour l'essentiel le type de plantes qu'il veut faire pousser. Ces plantes, il les récoltera, il les retirera du cycle naturel, si bien que le sol s'en verra appauvri en matières nutritives.
Dès lors, s'il souhaite faire de bonnes récoltes, le jardinier devra d'abord veiller à l'apport de matières nutritives dans le sol.

Pour les jardiniers et les agriculteurs, l'azote (N) occupe une place centrale dans la fertilisation. Il est responsable de la croissance des feuilles et des tiges, ce dont témoignent non seulement la taille des plantes, mais aussi leur coloration verte. Plus l'approvisionnement en azote est bon, plus les feuilles sont vert foncé. Par ailleurs, en plus de la formation de la chlorophylle, l'azote est nécessaire à la formation des acides aminés et des vitamines.

Sur une étendue exiguë, la végétation ne peut être luxuriante que si l'apport en éléments nutritifs est suffisant.

L'azote du sol est généralement d'origine organique. Il est libéré de façon naturelle lors de la décomposition de plantes fanées, d'animaux morts ainsi que de déjections animales (urée) sous forme de combinaisons ammoniacales. Les bactéries du sol peuvent les transformer en nitrates absorbables par les plantes.

A cet azote d'origine organique s'ajoute l'azote d'origine atmosphérique introduit dans la nutrition grâce aux légumineuses et à d'autres espèces de plantes. Mais ceci n'est possible qu'en présence de rhizobium, que l'on trouve sur les racines

Ce champ d'essai montre claire-ment les conséquences d'une mauvaise fertilisation.

de toute légumineuse.

En revanche, une partie de l'azote est rendue à l'atmosphère par l'action des bactéries dénitrificatrices. Lorsque l'azote soluble est disponible en grandes quantités mais n'est absorbé par les plantes qu'en faibles quantités, il est emmagasiné dans le sol et peut être entraîné vers des couches de sol plus profondes. On retrouve alors des excès de nitrates dans les nappes phréatiques ou dans l'eau potable. D'où l'importance d'utiliser l'azote dans des quantités et des délais raisonnables.

Les trois autres éléments nutritifs essentiels

Après l'azote, l'eau, le carbone et l'oxygène, le **potassium (K)** est l'élément essentiel à la vie des plantes. Il contribue principalement à la fortification de leurs parois cellulaires et, de cette manière, à leur résistance contre les maladies fongiques, les parasites animaux et les intempéries. Dans le sol, on trouve surtout le potassium sous forme d'ions solubles (K^+), plus ou moins absorbés par les argiles et l'humus.

Le **phosphore (P)** n'est pas aussi nécessaire que les deux autres éléments nutritifs, bien que lui aussi participe de manière substantielle à la physiologie végétale. Le phosphore est irremplaçable dans sa contribution à la floraison et favorise en outre le mûrissement des semences et des fruits. D'innombrables analyses du sol ont montré que la plupart des jardins présentent un excès de phosphore, et dans une moindre mesure un excès de potassium. C'est pourquoi l'emploi d'engrais composés est la plupart du temps intempestif dans nos jardins. Parfois, les emballages d'engrais mentionnent une quatrième donnée, le **magnésium (Mg)**, dont la teneur est de quelques pourcents. Cet élément aussi remplit plusieurs fonctions; notons surtout qu'il s'agit d'un constituant fondamental de la chlorophylle.

Multiplicité des éléments nutritifs

Le **calcium (Ca)** est souvent compté parmi les principaux éléments nutritifs de la plante. Il joue un rôle non négligeable dans la fortification des parois cellulaires et dans la maturation des fruits. Toutefois, le calcium ne remplit pas sa principale fonction au niveau de la plante mais au niveau du sol, où il favorise une structure meuble et influence le pH de manière décisive. Le calcium entraîne des réactions basiques et peut supprimer des rapports d'acidité trop élevés. Dans la nature, il apparaît surtout dans les roches calcaires. L'apport artificiel de calcium est possible par désagrégation chimique de roches calcaires, ou par broyage d'algues sèches.

Le **soufre (S)** aussi est indispensable à la vie végétale. Mais à vrai dire, on ne considère généralement pas l'adjonction de cet élément comme nécessaire lors de la fertilisation. En effet, le soufre est apporté dans le sol par d'innombrables gaz d'échappement et par le phénomène désormais bien connu des pluies acides.

Le **silicium (Si)** joue la plupart du temps un rôle sous-estimé.

En cas de carence en fer, les feuilles jaunissent entre les nervures.

Eléments nutritifs primaires

Elément	Forme ionisée	Source	Influence sur la plante
Azote (N)	NO_3^{3-} NH_4^{+}	substances organiques, azote de l'air	croissance des jets et des feuilles, composant de l'albumine
Phosphore (P)	$H_2PO_4^{+}$ P_2O_5	roche phosphorique	surtout formation des fleurs, composant des enzymes
Potassium (K)	K^{+}	lié à des petits minéraux	développement des racines, renforce les membranes cellulaires et leur résistance
Magnésium (Mg)	Mg^{2+}	diff. roches	composante de la chlorophylle

Eléments nutritifs secondaires

Elément	Forme ionisée	Source	Influence sur la plante
Calcium (Ca)	Ca^{2+}	roche calcaire	renforce les membranes cellulaires
Soufre (S)	SO_4^{2-}	sulfure et sulfate, gaz d'échappement	composant important des acides aminés
Silicium (Si)	SiO_4^{4+}	sable, roche	renforce les membranes cellulaires

Oligo-éléments et éléments nutritifs

Elément	Forme ionisée	Source
Fer (Fe)	Fe^{2+} Fe^{3+}	diff. roches
Manganèse (Mn)	Mn^{2+}	diff. roches
Chlore (Cl)	Cl^{-}	dans diff. sels
Bore (B)	$H_2BO_3^{-}$	diff. roches et sels
Molybdène (Mo)	MoO_4^{2-}	liaison minérale
Cuivre (Cu)	Cu^{2+}	liaison minérale
Zinc (Zn)	Zn^{2+}	liaison minérale

Bien que certaines plantes soient plus friandes de silicium que de phosphate, de calcium, de magnésium ou de soufre, le silicium n'est mentionné comme élément nutritif dans aucun manuel agronomique. Une des principales raisons de cela pourrait résider dans le fait que cet élément est un des principaux constituants des sables quarzeux et est également un des éléments les plus rencontrés à la surface du sol. Les jardiniers pratiquant la culture biologique apportent expressément du silicium dans le sol par le biais de roches finement broyées et de supports végétaux. Là, le silicium améliore la structure du sol. Et comme il favorise la rétention d'eau et la résistance des parois cellulaires, le silicium fait partie des constituants de nombreux produits phytosanitaires où il joue un rôle préventif.

Le fer (Fe), le manganèse (Mn), le chlore (Cl), le bore (B), le molybdène (Mo), le zinc (Zn) et le cuivre (Cu) sont appelés oligo-éléments. Les plantes n'en ont besoin qu'en très petites quantités bien qu'ils soient nécessaires à leur physiologie. C'est pourquoi il faut parfois leur en administer, dans des quantités limitées.

Influence d'une carence alimentaire ou d'une fertilisation excessive sur les plantes

Comme cela a déjà été mentionné à diverses reprises, le dosage des éléments nutritifs est primordial: une carence en éléments nutritifs comme un excès peuvent avoir des conséquences néfastes. Les éléments nutritifs jouent des rôles tout à fait spécifiques dans la physiologie végétale. De ce fait, une carence en un élément se traduit par des symptômes typiques. Les éléments nutritifs de base contribuent à l'aspect global de la plante. Ainsi, une carence en azote, en phosphore ou en sodium peut se voir à différents endroits: à la croissance insuffisante des racines, à la floraison ou la fructification, aux retards de croissance, aux éventuelles déformations, et dans la plupart des cas, à une mauvaise coloration des feuilles. Les jaunissements tiennent surtout aux éléments impliqués dans la formation de la chlorophylle et dans la photosynthèse: l'azote, le magnésium, le fer et le manganèse. D'autres éléments nutritifs garantissent la stabilité des parois cellulaires, si bien qu'une carence en ces éléments engendre une sensibilité accrue aux maladies fongiques, aux parasites et au gel.

Trop, c'est trop!

Une diminution de la résistance des végétaux ne résulte pas toujours d'une carence, mais peut aussi être le résultat d'un excès. L'azote en est le meilleur exemple: un excès en azote entraîne un développement disharmonieux des cellules en favorisant un excès d'humidité dans leurs fines membranes, qui présentent alors une sensibilité accrue aux maladies cryptogamiques et constituent un terrain de prédilection pour les mandibules des insectes. Et ceci est d'autant plus vrai que l'excès d'azote assouplit les tissus cellulaires. Quant aux autres éléments nutritifs, leur surabondance a des effets directs moins frappants mais quand même distincts. Souvent, le dommage causé aux végétaux est indirect, non pas en raison d'une croissance unilatérale, mais parce

Une fertilisation excessive peut engendrer de telles déformations.

qu'un excès en un élément peut entraver l'absorption d'un autre élément qui lui est semblable mais excerce d'autres fonctions.

 La cause de la déforestation est depuis peu attribuée principalement à un excès de liaisons azotées, provoquant un enrichissement unilatéral. Dans les potagers, l'azote est généralement un des éléments nutritifs dont l'apport est trop réduit.

Un excès d'humidité dans les cellules dû à des excès d'éléments nutritifs attire les parasites.

De tout ceci, il ressort qu'il ne faut jamais avoir pour devise: "Plus on en met, mieux c'est." Il importe de procéder à une nutrition équilibrée en tenant compte de la nature du sol, de l'espèce des végétaux, de leur stade de développement et du climat. Afin de distinguer les erreurs de fertilisation, le tableau ci-dessous donne un aperçu des principaux symptômes qu'elles engendrent.

Conséquences d'un excès ou d'un manque en éléments nutritifs

Elément nutritif	Déficit	Excès
Azote (N)	croissance réduite, coloration pâle des anciennes feuilles, récolte limitée	plantes grasses et sensibles, présentant des cellules aqueuses et gonflées
Phosphore (P)	croissance freinée accompagnée d'une coloration rouge des feuilles anciennes, floraison et fructification réduites	troubles du métabolisme (surtout lors de l'enrichissement du sol, en moindre mesure pour la végétation)
Potassium (K)	plantes faibles, anciennes feuilles plus claires à partir des bords, ensuite coloration brunâtre, croissance réduite des racines	croissance réduite
Magnésium (Mg)	anciennes feuilles aunissent entre les nervures des feuilles	sensibilité à la vermine
Calcium (Ca)	membranes cellulaires affaiblies, provoquant un brunissement des jeunes feuilles, "tavelure" de la pomme	freine l'absorption du phosphore, élimination du potassium et du magnésium

Elément nutritif	Déficit
Silicium (Si)	membranes cellulaires affaiblies, sensibilité accrue aux maladies et à la vermine
Soufre (S)	jaunissement des jeunes feuilles
Fer (Fe)	jaunissement accentué (chlorose) des jeunes feuilles entre les nervures
Bore (B)	pointes des boutures jaunissent et flétrissent
Manganèse (Mn)	taches, amincissement entre les nervures, pour arbres et arbustes sur les anciennes feuilles
Cuivre (Cu)	blanchiment et pointe de feuille enroulée (dans les tourbières)

Les particules minérales

A l'origine, le sous-sol minéral était rocheux. Issue de processus volcaniques, la roche *(magmatite)* subit une nouvelle métamorphose grâce aux facteurs physiques de la pression et de la température *(métamorphite)*, ou fut déposée lors de déplacements d'eau ou de glace *(sédiments)*. Pendant leur transport, les roches furent fragmentées en pierres de différentes formes et tailles. Bien sûr, il arriva aussi que des roches ayant subi une altération fussent à nouveau transportées et déposées et inversement, que des sédiments fussent altérés après leur transport. Aussi les roches se distinguaient-elles déjà au départ par leur composition chimique.

Les roches de base sont constituées de silicates, combinaisons de silicium (Si) et d'oxygène (O). Les structures se sont développées à partir de petits "ilots" simples, lesquels se sont agglomérés pour former des chaînes, puis des structures stratifiées, voire même des échafaudages tridimensionnels, sur lesquels sont venus se fixer d'autres métaux ou non-métaux. En fonction de leurs constituants, les diverses structures ainsi formées se répartissent en hornblende, mica ou feldspath. Les feldspaths sont eux-même répartis en ortho-clases et plagioclases.

Tout ceci entre en ligne de compte dans la définition du type de roches. Ainsi les roches métamorphiques se sont formées à partir de sédiments constitués de différents silicates. Pour les non-initiés, tout ceci doit, admettons-le, être un peu obscur.

Les pierres aussi se désagrègent

Plus complexe encore est le développement ultérieur des roches ainsi définies. En effet, sous l'influence de l'eau, de températures extrêmes ainsi que de processus biologiques et chimiques, leur constitution s'altéra: les roches se désagrégèrent. C'est pourquoi certaines roches sont dites stables, tandis que d'autres se désagrègent facilement et forment rapidement de nouveaux

Nos roches sont le résultat de processus volcaniques et climatologiques qui s'altèrent avec le temps.

minéraux "secondaires": les argiles comme l'oxyde associé à l'hydroxyde.

Les **argiles** constituent un stade ultérieur du développement des silicates. Elles ont une grande surface spécifique et sont très hydrophiles. Grâce à ces propriétés chimiques, elles contribuent à une structure de sol idéale pour les plantes. Elles peuvent effectivement lier l'eau aux ions nutritifs de manière à ce qu'ils ne soient pas lessivés vers les couches inférieures, mais puissent nourrir les plantes: les éléments nutritifs se laissent échanger contre d'autres ions et deviennent des ions libres dans la solution du sol, si bien qu'ils peuvent être absorbés par les racines. Un sol riche en argiles offre ainsi des conditions de culture optimales à partir de son sous-sol minéral. Avec l'humus, l'argile présente les principaux éléments nécessaires à la fertilité et forme le nec plus ultra de tous les constituants du sol, à savoir le complexe argilo-humique. Il sera encore question de celui-ci plus loin.

Analyse granulométrique de la terre fine

Les constituants du sol issus de la désagrégation de la roche ne diffèrent pas seulement de par leur composition chimique; ils se distinguent aussi tout simplement par leur grosseur. Dans le cadre de la culture, ce qui nous intéresse en premier lieu est la

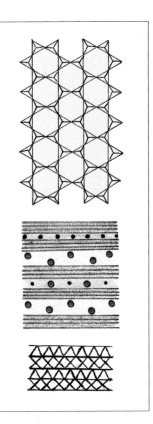

Le squelette de base de tous les minéraux argileux est composé de couches de tétraèdres (en haut). Elles alternent avec d'autres, notamment l'aluminium, dans les structures en couches (en dessous). Les ions qui peuvent servir de nourriture se trouvent entre ces couches (au milieu).

terre fine, dont la grosseur des particules ne dépasse pas 2 mm. Ce sont effectivement ces particules qui décident de la quantité d'eau et d'air qui peut s'infiltrer dans les interstices, dans les pores du sol d'une part, et être retenue d'autre part. Scientifiquement, on distingue les constituants du sol précisément par leur grosseur:

Sable	2-0,063 mm
Limon	0,063-0,002 mm
Argile	< 0,002 mm

L'eau filtre rapidement à travers les grains de **sable**, du fait de leur grosseur et des pores qui les séparent. Les éléments nutritifs aussi peuvent à peine être retenus par le sable. D'un autre côté, le sable retient généreusement l'air dans ses pores, lequel est indispensable pour les racines. En travaillant un substrat poreux, le jardinier rencontre peu de résistance, et un tel type de sol est aussi facile d'accès aux racines. Il en va tout à fait autrement pour l'**argile**: ses particules minuscules sont fort

"soudées"; elles se laissent difficilement pénétrer et sont peu poreuses. À moins que le sol ne soit tout à fait aride, l'eau reste fixée dans les pores et y est si puissamment retenue, qu'elle n'est assimilable par les plantes qu'en très petite quantité. C'est la raison pour laquelle des plantes peuvent avoir un aspect flétri dans un sol argileux alors que celui-ci est suffisamment irrigué.

De même, l'air trouve difficilement sa place dans les quelques pores remplis d'eau d'un sol argileux. De ce fait, les éléments nutritifs peuvent se fixer dans les nombreuses particules d'argile dont la surface est relativement grande.

Le **limon** a des propriétés qui se situent exactement entre celles du sable et de l'argile tant en ce qui concerne ses particules que son aspect poreux et par là, la rétention d'air et d'eau, le stockage d'éléments nutritifs et la malléabilité. Cependant, le

limon n'est pas l'optimum d'un sol minéral. Comme dans la pratique, on rencontre exceptionnellement un sol pur, c'est-à-dire un sol présentant une fraction de particules dont on peut clairement déterminer la grosseur, il faut souvent définir les mélanges.

Une terre contenant les trois constituants porte le nom généralement connu de **glaise**. Selon le constituant dominant, on parle aussi par exemple de terre sableuse ou argileuse. Dans la terre limoneuse enfin, on trouve un mélange optimal de propriétés physiques quant à leur influence sur la végétation.

Comment effectuer une analyse granulométrique

Le jardinier-amateur peut procéder à une analyse granulométrique au moyen de méthodes très simples. Les principaux constituants du sol peuvent être appréciés au simple

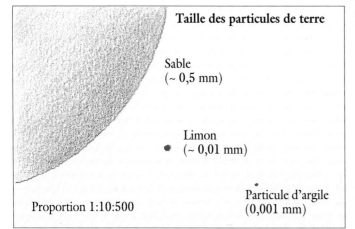

Taille des particules de terre

Sable
(~ 0,5 mm)

Limon
(~ 0,01 mm)

Particule d'argile
(0,001 mm)

Proportion 1:10:500

Pratiquement impossible à distinguer pour nous, mais en réalité dans des rapports de proportion énormes: la taille des particules de terre.

Un sol argileux peut être tranché avec une section lisse mais se fend.

Le test du toucher

On sent les grains de sable rouler sous les doigts, on peut même les voir. Ils ne collent pas aux doigts et ce n'est que lorsqu'ils sont humides qu'ils collent les uns aux autres, autrement dit qu'ils forment une plus grande colloïde.

Le limon donne une sensation légèrement farineuse, les grains sont impossibles à distinguer. Il colle bien un peu, mais ne peut être roulé avec la paume de la main et se laisse difficilement malaxer.

La glaise est composée en grosse partie de très fines substances mais contient aussi des grains de sable.

Elle est plus lourde et plus malléable que les autres matériaux cités plus haut et se laisse travailler en rouleaux, aussi solide qu'un crayon. Mais elle se fend également.

L'argile est en fait tellement plastique qu'on ne la trouve que sous forme compacte présentant une surface farineuse et lisse. Elle se laisse facilement travailler en rouleaux, qui ne se fendent pas lorsqu'on les transforme.

D'après les grains ou les substances qui s'y trouvent, on peut encore qualifier le substrat de "sablonneux", "argileux", etc.

toucher, avec un peu d'expérience. Un autre façon de procéder à une analyse granulométrique consiste à plonger un échantillon d'un substrat dans un tube transparent rempli d'eau et de bien l'agiter. Tandis qu'après quelques minutes, les grains de sable grossiers ont coulé, une solution argileuse reste encore longtemps trouble et prend une coloration rougeâtre après une demi-heure. Le limon et la glaise, quant à eux, prennent à nouveau une position intermédiaire. De plus, la glaise laisse apparaître les différentes fractions. Même la quantité d'humus peut être déterminée par une telle analyse: il donne une coloration foncée car il est très soluble dans l'eau.

La vie du sol et l'humus

Toute poignée de terre cultivable saine contient bien plus d'êtres vivants qu'il n'y a d'hommes sur la terre. Mais ces êtres vivants ne sont pas uniquement remarquables par leur nombre, mais aussi en raison de leurs prestations, qui permettent aux êtres "supérieurs" d'exister.

Leur association varie naturellement en fonction du type de sol.

Il y a par exemple les micro-organismes dits *aérobies*, que l'on trouve sur les pores remplis d'air. Quant aux espèces *anaérobies*, l'oxygène a un effet de poison sur elles. Elles préfèrent vivre dans des couches du sol plus profondes ou très humides. Comme on peut s'en douter, elles sont assez nuisibles à la végétation car elles libèrent des gaz putrides lors des échanges nutritifs.

La flore du sol

Les **unicellulaires** jouent pour la plupart un rôle déterminant dans l'apport de certains éléments nutritifs. L'exemple le plus significatif est celui des **bactéries** fixatrices d'azote (entre autres les *azotobacters* ou le rhizobium), qui sont responsables du cycle naturel de l'azote, élément nutritif de base. Un mètre carré pris à la surface du sol bien aéré compte des milliards de ces organismes utiles, que l'on trouve en plus grand nombre.

Les **actinomycètes** et les **champignons** forment chaque fois un entrelacs, et ces deux groupes comprennent des espèces capables de produire des antibiotiques naturels. Les champignons quant à eux ne peuvent exister en l'absence d'air. Ils vivent souvent en symbiose (mycorrhizes) avec les plantes, et les uns comme les autres profitent des échanges nutritifs avec leur partenaire. Aussi les plantes sont-elles souvent flétries là où il n'y a plus de champignons.

Les **algues** font déjà partie des plantes plus développées, qui sont capables d'utiliser la lumière solaire comme source énergétique grâce à la photosynthèse. Ceci n'est possible que dans les couches superficielles du sol, où on peut souvent les reconnaître à leur revêtement vert. Avec les **lichens**, elles sont les premiers organismes à avoir entamé la désagrégation biologique des roches.

Les collemboles font partie des animaux vivant dans le sol et qui contribuent à la formation de l'humus.

La formation de l'humus

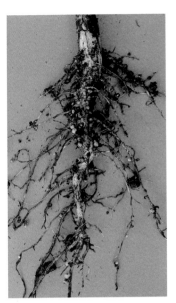

A gauche: la présence de nombreux vers de terre indique une bonne qualité de sol.
A droite: les bactéries des tubercules des racines de légumineuses sont capables de lier l'azote contenu dans l'air.

La diversité de la faune du sol

Dans tout substrat, on compte d'innombrables organismes unicellulaires, également nommés protozoaires. Les protozoaires unicellulaires appartiennent aux premiers êtres vivants à avoir occupé un substrat. Avec les ciliés, les rhizopodes, les flagellants et les amibes, ils forment la **microfaune**. Leur population de plusieurs centaines de milliards par mètre carré pris en surface en fait le groupe

animal le plus nombreux. Contrairement à eux, les êtres appartenant à la **mésofaune** sont déjà visibles à la loupe. La mésofaune comprend surtout les nématodes, qui se nourrissent essentiellement de bactéries. Les acariens, collemboles, tardigrades et rotifères appartiennent aussi à ce groupe. Certains d'entre eux peuvent même résister à de longues sécheresses.
Tout ce qui est aisément visible à l'œil nu appartient à la **macrofaune**: c'est pourquoi ses représentants sont généralement connus: araignées, diplopodes, chilopodes, myriapodes, petits insectes et leurs larves en font partie au même titre que les limaces et les vers de terre. S'il y a pléthore de ces derniers dans le sol, ceci indique que la qualité du sol est bonne.

En malaxant les débris végétaux qu'ils ingèrent avec la terre, les vers de terre produisent plus d'humus que tout autre être vivant. Les débris végétaux sont préalablement "digérés" par les bactéries et les champignons. D'innombrables petits animaux poursuivent ensuite leur décomposition. Tout à la fin, l'albumen est décomposé en ses constituants: l'eau, le dioxyde de carbone, les minéraux et les ions nutritifs. Ceux-ci sont enfin unis aux **humines** lors de différentes réactions chimiques dans certaines conditions. Ils constituent l'humus, ce que recherche tout jardinier. Les sols légers contiennent 3-4 % d'humus tandis que les sols lourds en contiennent 6%. Dans la nature, cela peut durer des siècles avant que ne se constitue une couche d'humus de quelques centimètres. Sur les sols riches se forme du **mull**. Cette forme d'humus se désagrège vraiment progressivement et libère ainsi des matières nutritives, mais ne peut améliorer la structure du sol que temporairement. Il en va tout autrement pour l'humus grossier (**mor**); il améliore la structure du sol à long terme mais ne libère pas d'éléments nutritifs. Cette forme d'humus se développe surtout sur des sols acides et pauvres en éléments nutritifs. Le **moder** occupe une place transitoire entre le mull et l'humus grossier.

Les différents types de sol et leurs propriétés

Les couches horizontales

Jusqu'ici, nous avons déjà parlé des roches mères et de leur altération, de la granulométrie des différents constituants du sol, et de la formation de l'humus. Selon les circonstances, une disposition par couches d'éléments se fait dans le sol, laquelle est caractéristique du lieu et permet d'identifier le type de sol. Nous considérerons environ les deux premiers mètres du sol. La couche la plus basse est constituée de roche mère à peine décomposée et est appelée horizon C. Au-dessus de cette couche se trouve une zone de roche mère désagrégée dans laquelle quelques parties de la couche superficielle du sol se sont intégrées pour former l'horizon B. La couche superficielle quant à elle se compose essentiellement de matières organiques, et est plus ou moins stable et solide selon la forme d'humus qu'elle contient. Cette couche humique, on l'appelle- comme vous pouvez le deviner- l'horizon A. Elle est très sombre: sa coloration varie entre le brun et le noir en fonction de sa teneur en matières organiques. L'horizon B est surtout constitué de terre fine: une analyse granulométrique de ses constituants et de sa coloration donne des indications sur le type de roche qu'il contient: des zones rougeâtres ou bleues indiquent la présence d'une humidité excessive tandis qu'une coloration verdâtre est un signe d'alarme car elle reflète généralement un excès d'acidité et d'éléments nutritifs. Enfin, plus on descend dans l'horizon C, plus les constituants du sol sont grossiers. Par ailleurs, des sols humiques proches de nappes d'eau par exemple s'appellent **gley** (près de la nappe) ou **pseudogley** (près des zones compactes); un horizon B brun et légèrement acide avec une couche humique grumeleuse et des zones filtrantes constitue un **sol brun**. Enfin, si la couche humique est mince, que le sous-sol est compact et présente plusieurs couches de matières incomplètement décomposées, on parle de **podzol**. Par contre, si le sous-

sol est riche en chaux et donc plus clair, on parle de **rendzine**. De tels types de sol caractérisent souvent toute une région. Pour le jardinier, il n'est pas indispensable de connaître la structure du sol. Il est vrai que le sous-sol et que la couche humique naturelle sont déterminants pour la culture. Mais le jardinier peut activement modifier les conditions de culture, enrichir une couche humique fertile et la mélanger généreusement à du terreau, de manière à ce que la faune et la flore du sol soient dans des condi-

L'ordre caractéristique dans lequel se trouvent les couches d'humus, de décomposition et de sous-sol définissent le type de sol.

tions optimales et puissent recevoir une alimentation saine grâce aux mesures de fertilisation appropriées.

Sol arable - qualité biologique du sol

Le jardinier jouit rarement d'un sol idéal. Pourtant, il doit bien se contenter du sol qui lui est offert. S'il peut qualifier sa terre de terre arable, c'est qu'il a réussi à optimaliser les conditions de culture dans lesquelles il se trouve. En effet, tout comme une bonne pâte, un

bon sol doit avoir certaines propriétés. Il faut qu'il soit mou et élastique; pour ce faire, il faut que les grumeaux soient stables, de manière à ce que la teneur en eau et en air ne chute pas aux premières précipitations. Les particules de terre arable sont agglomérées par des entrelacs de champignons et de déjections animales de manière à ce qu'elles ne soient pas vite lessivées. Les grumeaux agglomérés ont une surface relativement grande qui, en plus de l'eau, peut emmagasiner des éléments nutritifs, de manière à ce qu'ils soient préservés contre le lessivage tout en restant absorbables par les plantes. Le complexe argilo-humique déjà mentionné plus haut (p.11) joue un rôle particulièrement favorable. En gros, la terre arable correspond à l'état d'un sol humique dont les particules sont larges, comme c'est le cas pour le limon. La désagrégation des roches joue aussi un rôle important, car elle détermine la quantité d'éléments nutritifs naturels apportée par les particules minérales. La teneur en humus de la terre est du reste

Des mesures appropriées permettent d'amender le sol.

17

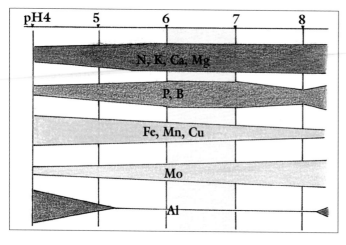

La disponibilité des divers éléments nutritifs du sol dépend de son taux de pH. La valeur optimale se situe entre 6 et 7.

généralement déterminée en fonction de la teneur en carbone. Tandis que des sols contenant moins d'1% de matières organiques sont considérés comme pauvres en humus, les sols qui en contiennent plus de 10% sont dits riches en humus. L'anmoor qualifie l'humus contenant plus de 15% de matières organiques; la tourbe l'humus contenant plus de 30% de matières organiques. Toutefois, ces chiffres à eux seuls en disent peu sur la véritable qualité du sol.

Le pH: reflet de la quantité d'éléments nutritifs disponibles

Un instrument souvent utilisé pour apprécier la qualité est le **pH**. Il permet de dire dans quelle mesure la solution du sol est en réaction acide ou alcaline. Il indique précisément le nombre d'ions H+ libres que la solution contient.

Pour exprimer le pH, on utilise le logarithme négatif: si le pH est inférieur à 7, cela signifie qu'il y a un excès d'ions H+; on parle alors d'une réaction acide. Entre 7 et 14, il y a un excès d'ions OH− libres; la réaction est alors dite alcaline, pareille à celle d'une solution savonneuse. Le pH 7 représente une réaction: dans ce cas, la concentration en ions H− est de 10^{-7} = 0,0000001 g/l et équivaut à celle des OH−. La réaction acide provoquée par l'humus, la plupart des autres roches et les pluies acides est ainsi largement équilibrée. Les sols neutres et les sols légèrement acides dont le pH va de 5 à 7,5 sont optimaux pour la plupart des plantes cultivées. Les sols dont le pH dépasse 8, c'est-à-dire des sols clairement alcalins, se rencontrent rarement dans la nature.

Des sols extrêmement acides comme le moor peuvent avoir jusqu'à un pH 3 et ont donc une teneur en acide comparable à celle du vinaigre. Dans de tels sols, la quantité en éléments nutritifs disponibles est totalement différente, et c'est pourquoi ils ne conviennent qu'à une végétation bien spécifique. En effet, le pH n'a pas seulement une influence directe sur les conditions de vie des microorganismes et des plantes, mais aussi sur l'état des liaisons électrochimiques entre les éléments nutritifs des plantes.

Dans les sols acides par exemple, la quantité de potassium, de calcium et de magnésium disponible diminue constamment.

Si le pH est inférieur à 5, il se forme même des combinaisons d'aluminium toxiques. Dans les sols alcalins par contre, c'est surtout la quantité de fer et de manganèse disponible qui est mise en danger. Dans la nature, les acides prédominent. Les surcharges supplémentaires provoquées par les gaz d'échappement des industries et des autos ainsi que par le phénomène bien connu des pluies acides rendent nécessaire la lutte contre l'acidification menaçante de nos sols. Bien que l'humus soit lui même engendré par des acides, il est un tampon efficace, ce qui signifie qu'il peut s'opposer aux variations du pH. La mesure la plus répandue et la plus efficace à court terme pour augmenter le pH réside dans le chaulage.

Le ratissage du compost favorise la vie du sol. Et le compost peut ainsi assimiler et neutraliser des influences extrêmes.

Influence de la fertilisation sur la structure du sol

S'il est vrai que la chaux et la farine de roche sont des produits minéraux, ils n'en sont pas moins considérés comme des moyens d'amendement du sol presque naturels, car leur action ne tient pas à leur apport d'éléments nutritifs mais à l'influence qu'ils exercent sur les propriétés chimiques et physiques du sol (voir pp. 48 et 50). Cette influence est positive, à condition qu'ils soient utilisés professionnellement et dans les bonnes circonstances. Les surplus d'engrais minéraux ont

une action plutôt négative sur le sol: une altération profonde du milieu menace les organismes produisant l'humus à long terme. La vie du sol s'en voit appauvrie, en partie parce qu'elle n'est plus nécessaire, en partie parce que son existence est menacée là où la concentration de sel est forte.

Les engrais organiques peuvent aussi menacer les microorganismes lorsqu'ils sont directement en contact avec eux, mais ceci ne survient que très rarement, par exemple lorsqu'ils sont très concentrés. Mais comme ils servent aussi d'aliments à ces êtres vivants, leurs effets négatifs sont largement compensés.

La végétation, miroir de l'état du sol

Ce n'est pas un hasard si seul un petit nombre des semences qui se trouvent dans le sol poussent, et si tous les jardins sont couverts de mauvaises herbes caractéristiques. Les semences réagissent effectivement aux déséquilibres du sol:

• une humidité trop basse ou trop élevée,
• un excès ou une carence en éléments nutritifs,
• un sol en réaction acide ou alcaline,
• un excès ou un manque de chaux,
• la stabilité de la surface du sol,
• le mode d'utilisation.

Aussi l'élimination des "mauvaises herbes" ne suffit-elle pas. Aussi longtemps que les déséquilibres du sous-sol ne sont pas maîtrisés, elles ne cesseront de pousser encore et encore. Il est bien plus sensé de les utiliser pour en tirer des conclusions sur l'état du sol, pour pouvoir mieux maîtriser leur prolifération par la suite. Bien sûr, faire un diagnostic du sol à partir de ces soi-disant indicateurs n'est pas aussi simple qu'on le dit parfois. S'il est vrai qu'un tel diagnostic peut venir

**Au-dessus: la prêle des champs indique un sol épais.
En dessous: la petite oseille a des exigences fondamentalement différentes de l'oseille à feuilles obtuses.**

compléter des analyses faites en laboratoire, il ne peut jamais les remplacer.

Pour un diagnostic du sol fiable

Il faut avoir des connaissances approfondies sur les végétaux pour pouvoir identifier des espèces apparentées dont les besoins sont différents. Il ne suffit pas par exemple d'avoir une connaissance générale du rumex pour faire un diagnostic: tandis que la petite oseille (*Rumex acetosella*) pousse sur des sols acides et pauvres en éléments nutritifs, le rumex à feuilles obtuses (*R. obtusifolius*) ne se développe que si le sous-sol est alcalin et riche en éléments nutritifs. Pour les distinguer, il vaut mieux recourir à un bon guide sur les plantes.

Un diagnostic rapide du style "Une pâquerette, beaucoup d'azote" est rarement valable; trop de facteurs entrent en ligne de compte dans le développement naturel des végétaux. C'est pourquoi il ne faut pas se baser sur la présence d'une seule mauvaise herbe, mais sur une multitude d'entre elles: tout un groupe plus ou moins grand d'herbes et de graminées ne peut se trouver à un tel endroit par pur hasard! Ainsi, ce n'est qu'après avoir identifié plusieurs indicateurs caractéristiques que l'on peut tirer des des conclusions sur l'état du sol de manière fiable.

Indicateurs d'un taux d'azote trop élevé

Herbes aux goutteux (*Aegopodium podagraria*)
Bourse à pasteur (*Capsella bursa-pastoris*)
Epinard sauvage (*Chenopodium album*)
Euphorbe (*Euphorbia peplus*)
Galinsoga (*Galinsoga parviflora*)
Gratteron (*Galium aparine*)
Petit senéçon (*Senecio vulgaris*)
Laitue de lièvre (*Sonchus oleraceus*)
Mouron des oiseaux (*Stellaria media*)
Ortie (*Urtica* spec.)
Véronique, thé d'Europe (*Veronica persica*)

Indicateurs d'une quantité d'azote limitée

Queue de souris (*Alopecurus myosuroides*)
Galeopsis large (*Galeopsis ladanum*)
Vesce (*Vicia hirsuta*)

Indicateurs de densification et stagnation d'eau

Queue de souris (*Alopecurus myosuroides*)
Matricaire discoïde (*Chamomilla suaveolens*)

Cirse champêtre (*Cirsium arvense*)
Prêle des champs (*Equisetum arvense*)
Plantain lancéolé (*Plantago lanceolata*)
Bistorte couleuvrée (*Polygonum bistorta*)
Liseron (*Polygonum lapathifolium*)
Potentille argentine (*Potentilla anserina*)
Bouton-d'or rampant (*Ranunculus repens*)
Tussilage, pas d'âne (*Tussilago farfara*)

Indicateurs de sécheresse

Adonis, goutte de sang (*Adonis aestivalis*)
Camomille jaune (*Anthemis tinctoria*)
Bec de grue (*Erodium cicutarium*)
Galeopsis, large et étroite (*Galeopsis ladanum, G. angustifolia*)
Petit géranium (*Geranium pusillum*)
Grand plantain (*Plantago media*)

Indicateurs d'un sol alcalin

Galeopsis, large et étroite (*Galeopsis ladanum, G. angustifolia*)

Géranium des prés (*Geranium pratense*)
Luzerne (*Medicago sativa*)
Quintefeuille, potentille rampante (*Potentilla reptans*)
Sauge des prés (*Salvia pratensis*)
Pensée des champs (*Viola arvensis*)

Indicateurs d'un sol acide

Fausse camomille (*Anthemis arvensis*)
Epilobe, osier (*Epilobium angustifolium*)
Oseille (*Rumex acetosella*)
Pied de lièvre (*Trifolium arvense*)

Indicateurs d'un sol mûr

Epinard sauvage (*Chenopodium album*)
Euphorbe (*Euphorbia* spec.)
Fumeterre (*Fumaria officinalis*)
Galinsoga (*Galinsoga parviflora*)
Lamier (*Lamium* spec.)
Sortes de polygonum (*Polygonum* spec.)
Mouron des oiseaux (*Stellaria media*)
Petite ortie (*Urtica urens*)
Véronique-lierre et Vér. thé d'Europe (*Veronica hederifolia, V. persica*)

Le site du compostage

Alors que dans la nature, les plantes mortes restent là où elles ont fané pour pourrir et former de l'humus, le jardinier ordonné les enlève des parterres, pelouses et sentiers et les amoncèle à un endroit donné. Là, il mélange les déchets végétaux et essaie d'engendrer un processus de décomposition pour obtenir un humus qui lui sera précieux. Ce processus, on l'appelle "compostage".

Le site idéal

Bien sûr, il faut bien réfléchir à l'endroit du jardin où l'on déposera les déchets végétaux: l'endroit devra toujours pouvoir recevoir des déchets quelconques, de manière à ce que cela présente un intérêt si l'on veut avoir du compost rapidement et simplement. D'autre part, comme le site du compostage n'est pas, pour beaucoup, nécessairement beau, on ne choisira pas un endroit central et visible mais la plupart du temps, un petit coin tranquille mais facile d'accès. Par ailleurs, le site du compostage ne sera pas trop étroit: ainsi, on ne restera pas accroché à la cloison ou à l'arbuste voisin en manipulant brouettes et pelles pour faire et défaire le tas.
Un sous-sol stabilisé facilite la décomposition surtout par temps de pluies (pas seulement pour le compost). De plus, il est généralement préférable de prévoir de la place pour deux silos, ou réservoirs. De cette manière, on peut jeter des déchets et les entasser dans un réservoir, et récolter du compost déjà plus vieux dans l'autre.
Les conditions climatiques régnant près du lieu de compostage ne devront pas entraver le processus de décomposition. Il ne faut pas par exemple exposer le compost sous un soleil de plomb, sinon les matières organiques se déssèchent vite, et l'abscence d'humidité retarde le processus de décomposition. Mais ce principe peut toutefois connaître une exception dans des régions au climat rigoureux, si le compost ne cesse d'être ruisselant.
Une petite protection contre les précipitations s'avère aussi avantageuse à long terme, afin que les déchets ne regorgent pas d'eau pendant les pluies, mais aussi surtout pour prévenir les pertes par germination. Nous reviendrons sur

cette notion ultérieurement (voir p. 31). L'idéal est la protection semi-perméable que constitue le feuillage d'un arbre ou d'un arbrisseau.

Il ne faut pas non plus oublier les relations avec le voisinage immédiat. Des divergences de

A droite: un grand jardin demande un tas élaboré de manière compétente.

En dessous: un emplacement à compost protégé devrait être suffisamment grand pour pouvoir y travailler.

point de vue, mais aussi de simples antipathies peuvent engendrer une querelle sur le compost, si celui-ci se trouve près de la propriété du voisin. En principe, personne ne peut empêcher son voisin de faire du compost, même s'il considère le site du compostage comme "inapproprié".

Toutefois, toute personne souhaitant faire du compost doit agir en professionnel et veiller à ce que son voisin ne soit pas excessivement dérangé par une mauvaise odeur ou par de la vermine. Et si on dépose le compost tout près de la terrasse du voisin ou près de l'emplacement réservé aux enfants, on risque de se voir reprocher sa malveillance lors d'une confrontation juridique le cas échéant. Dès lors, l'idéal est d'en parler préalablement avec le voisinage pour rester en bonnes relations.

Compostage en andains

Le compostage en andains est la forme primaire du compostage. Car en fait, un réservoir n'est pas nécessaire pour amorcer le processus de décomposition. Il suffit d'amonceler les déchets, et éventuellement de les tasser.

Le seul inconvénient du compostage en andains est le manque d'espace, car un andain large prend évidemment plus de place qu'un réservoir haut et fermé et qui, de surcroît, est discret.

L'andain peut avoir une section triangulaire ou plus couramment trapézoïdale. Mais il importe que l'air puisse entrer au cœur du tas, celui-ci étant indispensable à la décomposition. Idéalement, le tas aura une base d'une largeur de 2 m tout au plus. Sa hauteur quant à elle se limitera automatiquement à 1,50 m, sinon le tas ne sera pas stable.

Le compostage en andains permet d'allonger le tas de déchets à volonté, de le déplacer. Mais on peut aussi commencer un deuxième andain. C'est une question de place. Quant à savoir si le compost doit être superposé en petites couches comme on l'enseignait jadis ou tout simplement bien mélangé, c'est plutôt une question de goût.

Les réservoirs

Les réservoirs à compost sont inévitables si on n'a pas assez de place. Mais ils peuvent aussi – selon les goûts – être esthétiques, et pour cette raison, être préférés aux andains. Il convient souvent de mettre un plus petit récipient près du réservoir, dans lequel on peut rassembler et mélanger de temps à autre les petits déchets, avant de les mettre sur le tas de déchets principal.

Une fois que l'on s'est décidé pour un réservoir, se pose encore la question de savoir comment le fabriquer: va-t-on le fabriquer soi-même avec du bois, ou va-t-on acheter un réservoir avec des montants en béton? Vaut-il mieux un petit réservoir fixe bon marché, un réservoir fermé en plastique ou un box double maçonné? Pour répondre à ces questions, il est utile de connaître certaines des

Avec un peu de pratique, la décomposition se passe mieux dans des récipients fermés. Pour réaliser un silo bon marché, il suffit d'employer du treillis de poule.

caractéristiques déterminantes d'un réservoir. Tout d'abord, il doit avoir un volume d'au moins 1 m³, de manière à ce que la fermentation puisse être quelque peu amorcée. De plus, il sera d'une part ouvert si possible, de manière à ce que le compost soit bien aéré, et d'autre part suffisamment clos, pour éviter une perte continue de fins déchets .

Les **réservoirs en bois** s'intègrent bien dans le cadre d'un jardin rustique. Le bois étant un matériau facile à travailler soi-même, on peut se fabriquer un réservoir avec des restes de bois pour un prix modique, mais aussi, si on est bon bricoleur, se faire un réservoir sur mesure avec toutes les astuces imaginables: le design que l'on veut, une hauteur variable, une paroi avant amovible, etc. Dans le commerce aussi, on trouve un choix très vaste de réservoirs en bois, mais malheureusement pas dans tous les magasins.

Le plus gros inconvénient des réservoirs en bois est leur faible résistance. A long terme, le bois se dégrade à cause de l'humidité et des organismes entrant dans le processus de décomposition. Pour pallier à cet inconvénient, on peut recourir à plusieurs astuces ainsi qu'à des produits protégeant le bois (pour autant qu'ils ne soient pas toxiques).

Toutefois, un réservoir en bois ne dure jamais éternellement, contrairement aux **réservoirs en béton ou en pierre**. Ceux-ci sont massifs, ce qui explique leur prix élevé. De tels réservoirs cadrent plutôt mal dans les petits jardins.

A côté de cela, on trouve aussi des **réservoirs en métal inoxydable** dans le commerce. Mais ici aussi, il ne faut pas oublier le besoin d'aération. Etant donné leur conductibilité thermique, de tels réservoirs sont sensibles aux conditions atmosphériques, à moins qu'ils ne se trouvent à l'abri. La plupart du temps, on trouve ces réservoirs finis sur le marché. Les réservoirs en zinc augmentent la teneur en zinc du compost et pour cette raison, ne sont pas recommandables.

Le **réservoir en treillis métallique** est facile à faire soimême. S'il est vrai qu'il ne dure pas, il est néanmoins discret et surtout très bon marché: il suffit de faire un cercle avec environ trois mètres de treillis métallique à mailles étroites. Afin d'éviter que ce type de réservoir ne tombe facilement ou ne laisse passer le vent excessivement, on peut en recouvrir les parois avec du carton ou du plastique.

Enfin, on trouve des **réservoirs en matière synthétique**. Parmi ceux-ci, il y a des réservoirs ouverts en plastique recyclé. Mais la plupart de ces réservoirs sont fermés, ce qui permet de faire du compostage sur un espace étroit, par exemple, sur un balcon.

Ceux qui sont seulement familiers des réservoirs ouverts ont souvent du mal à engendrer un processus de décomposition avec des **systèmes fermés**. Le manque d'espace et d'aération et l'impossibilité de retourner les déchets ultérieurement sont des conditions de départ défavorables.

D'une part, les déchets ont tendance à s'humidifier; d'autre part, si on place des réservoirs généralement sombres au soleil, le compost risque de se dessécher. Mais si on réussit à atteindre des conditions optimales, le compost se réchauffe fort, si bien que les germes, semences de mauvaises herbes et œufs de limace indésirables sont étouffés au cours de la fermentation. Les réservoirs fermés conviennent aussi à l'introduction de vers de terre dans le compost (voir p. 36).

 Subside pour des silos de compost: le compostage réalisé soi-même contribue à la diminution des montagnes de déchets ménagers et rend l'usage d'un container à déchets superflu. Certaines communes subsident également la création d'un bac à compostage.
Informez-vous!

Les récipients en bois ne sont pas utilisés uniquement à cause de leur grande variété.

Que peut-on utiliser pour faire du compost?

Réunir les matières adéquates pour faire du compost est un art en soi. L'idéal est de faire un mélange varié de différentes matières, car leurs propriétés s'équilibrent, tant en ce qui concerne les éléments nutritifs que la structure. Nous reviendrons sur cette notion au paragraphe suivant. Mais avant tout, distinguons les matières qui, en principe, peuvent servir de compost.

Déchets végétaux

Tous les déchets que l'on ramasse couramment dans un jardin peuvent normalement être compostés: les déchets provenant de la tonte des pelouses, des légumes, les plantes fanées et les branches provenant de la taille des haies. Toutefois, les déchets touchés par les maladies et les mauvaises herbes sont problématiques. La plupart des germes nuisibles peuvent être tués de manière inoffensive, pendant le processus du compostage, surtout pendant la phase thermophile (voir p. 31). Mais certains germes pathogènes étant résistants, il vaut mieux ne pas utiliser les déchets végétaux qui sont touchés par des maladies. Sinon, les germes pathogènes seront à nouveau répandus dans le jardin lors de l'emploi du compost.

Un autre problème majeur est, pour la même raison, celui des mauvaises herbes. A titre préventif, toutes les semences de mauvaises herbes devraient être retirées du compost, sinon le processus de décomposition ne peut être garanti. Il en va de même pour les rhizomes des mauvaises herbes, qui sont extrêmement tenaces et ne meurent pas si vite. Eux aussi, il faut les enlever.

On ne trouve normalement pas de **fumier** dans un jardin. Mais on ne peut omettre de le mentionner ici, car il a fait ses preuves comme complément nutritif depuis des générations. Ceux

Les déchets de cuisine font partie du matériau riche en éléments nutritifs.

Les semences et les racines des mauvaises herbes perdent de leur vitalité si vous les faites tremper pendant au moins 15 jours dans de l'eau. On peut également laisser les racines pendant une semaine en plein soleil.

qui hésitent à utiliser des fertilisants et ont la possibilité de se procurer du fumier ne devraient pas passer sur l'occasion.

Déchets ménagers

Les pelures de pommes de terre et autres **déchets de légumes** sont généralement très riches en éléments nutritifs. Les déchets de fruits ou le marc de café sont des morceaux de choix pour les vers de terre. Les pelures de **fruits tropicaux** (bananes, oranges, citrons) présentent occasionnellement d'importants restes d'agents conservateurs ou de produits phytosanitaires. Mais il apparaît que même des quantités relativement importantes de ces déchets n'entravent le processus de décomposition que de manière insignifiante. Les déchets de viande et de poisson ainsi que les restes de nourriture sont à éviter. Ces matières n'ont pas seulement une structure défavorable; il faut surtout les rejeter car elles attirent la vermine, comme les rats et les

Les racines des plantes de culture ont une énorme résistance et arrivent à survivre au processus de pourriture.

souris.
Le contenu du sac de l'aspirateur est souvent très chargé. Les vieux bouquets de fleurs et le terreau usagé, les cheveux

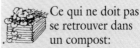 Celui qui choisit soigneusement le matériau destiné au compost sera rarement en conflit avec le service de ramassage des immondices, car les déchets organiques ne sont plus tolérés dans les conteneurs "normaux".

coupés et les restes de laine, les serviettes en papier et même les couches en cellulose sales conviennent au compostage; il faut toutefois enlever le plastique des dernières. Pour des raisons d'hygiène, on renoncera aux

matières fécales des adultes. Il en va de même pour les excréments de chiens, même si ceux-ci sont moins douteux que les excréments de chats, qui peuvent être vecteurs de maladies. Quant aux déchets en papier, il vaut mieux les destiner à la collecte du papier usagé même si, en principe, on peut les composter. On utilisera de préférence des cendres de bois pures; les cendres du charbon et des briquettes sont à proscrire en raison de leur trop forte teneur en métaux lourds. Il faut même se méfier des cendres de bois, car elles se concentrent en valeurs douteuses lors de la combustion. On ne les ajoutera donc au compost qu'avec prudence. Dans les petits jardins, on y renoncera.

Ce qui ne doit pas se retrouver dans un compost:

• des produits contenant des matières synthétiques
• des déchets contenant du métal
• du verre
• un matériau qui pourrit difficilement

Conditions optimales de la décomposition

Une décomposition saine (contrairement à une décomposition malsaine, anaérobie) requiert les conditions suivantes:
• une humidité suffisante,
• de l'air, plus précisément de l'oxygène,
• un bon rapport entre le carbone (C) et l'azote (N),
• une vie du sol intacte.
La dernier facteur dépend des trois premiers, raison pour laquelle ils nécessitent une attention particulière pour qu'on puisse atteindre notre objectif.

L'équilibre entre l'air et l'eau

L'eau est indispensable à presque tous les processus vitaux, même à celui de la décomposition. Toutefois, si le substrat regorge d'eau, il n'y a plus de place pour l'oxygène, qui est aussi nécessaire à la décomposition. Les microorganismes aérobies, qui font tout le travail de décomposition, ont autant que nous besoin d'oxygène pour survivre.

Seuls les êtres anaérobies peuvent vivre sans oxygène, mais ils ne peuvent contribuer à une décomposition saine; le produit de leur décomposition n'est pas une terre qui sent bon et présente les meilleures conditions de culture, mais une masse putride, comprenant de nombreuses substances toxiques. Comme l'eau peut pousser l'oxygène hors des pores du substrat, il faut s'efforcer d'obtenir un équilibre entre ces deux éléments vitaux.

A gauche: si quelques gouttes d'eau sortent sous la pression, alors le compost a le bon taux d'humidité.
En dessous: des moisissures minuscules stimulent la décomposition.

La teneur optimale en eau est de 50-70%. Des teneurs en eau inférieures amoindrissent la vie du sol tandis que des valeurs nettement supérieures favorisent le développement de microorganismes anaérobies.

Pour déterminer la teneur optimale en humidité d'un compost à moitié décomposé, il existe une méthode très simple: lorsqu'on presse le compost dans la main, quelques gouttes d'eau doivent perler entre les doigts. S'il en sort davantage d'eau, alors le compost est trop mouillé: si aucune goutte d'eau ne sort, alors il est trop sec.

Rapport C/N entre différents matériaux de compost

Jardin:	
Tonte de pelouse	10 à 25
Déchets verts de plantes	20 à 60
Feuilles/aiguilles	30 à 80
Bois coupé	100 à 200
Déchets ménagers:	
Déchets de cuisine végétaux	10 à 25
Papier	100 à 200
Sciure	100 à 500
Cendres de bois	200 à 500
Déchets agricoles:	
Fiente de volaille (fraîche)	env. 10
Fumier d'étable	10 à 30
Paille	50 à 150
Ecorce	100 à 150

Le rapport carbone-azote (C/N)

Comme les hommes et les végétaux, les microorganismes participent au processus de décomposition ont besoin d'une certaine quantité d'éléments nutritifs. Les quantités de carbone et d'azote qu'ils requièrent pour une alimentation optimale peuvent être fixées à un rapport appelé rapport C/N oscillant entre 15:1 et 25:1; la quantité de carbone est donc toujours supérieure à celle d'azote. Si le rapport est supérieur, il n'y a pas assez d'azote pour la production

d'albumen, le compost mûrit plus lentement et est de qualité inférieure.
Il en va de même si le rapport est inférieur ou égal à 10:1: le carbone nécessaire à la production cellulaire manque, et l'excès d'azote se perd dans l'air.
Les déchets végétaux et ménagers ont souvent un rapport C/N favorable à la maturation du compost. Les matières brunes, pailleuses, séchées ou ligneuses présentent un excès considérable de carbone. Les déchets animaux comme le fumier par contre, mais aussi la tonte de la pelouse verte et fraîche, contiennent une

quantité relativement importante d'azote. C'est la raison pour laquelle il importe tout d'abord de faire un mélange équilibré de matières humides et vertes et de matières sèches et ligneuses. Un tel mélange garantit non seulement un rapport C/N dans une certaine mesure approprié, mais aussi une teneur en eau et en oxygène équilibrée.
Dans la plupart des cas, le rapport C/N est un peu trop élevé. Il convient alors de mélanger de l'engrais azoté aux déchets. Ceci sera expliqué en détails dans le chapitre sur les additifs au compost (p. 32).

Préparation du compost

Plus les matières sont broyées avant le compostage, plus elles sont accessibles aux microorganismes, et plus le processus de décomposition est rapide. Les déchets de feuilles et d'arbrisseaux peuvent être fortement diminués, avec une tondeuse par exemple. La longueur des matières volumineuses peut aussi être réduite à 5-10 cm. Ainsi, elles contribuent considérablement à l'aération. Pour les déchets ligneux plus gros, une hache ou une hachette ne suffisent plus. Il serait donc utile d'avoir un broyeur à sa disposition. Si on est seul, l'investissement pour cet appareil bruyant n'en vaut généralement pas la peine; la plupart du temps, on peut se procurer un broyeur auprès de la municipalité ou chez un horticulteur. Ou alors, on se groupe avec le voisinage pour en acheter un; un bon appareil fera toujours mieux l'affaire que quatre ou cinq appareils bon marché.

Technique d'amoncèlement

Si le sol où l'on amoncèle les déchets est dur, il convient de retourner le sous-sol sur une profondeur de 20 cm. La première couche de branches volumineuses et de déchets d'arbrisseaux peut ainsi être aérée par le bas. En même temps, ces

matières carbonées peuvent absorber les eaux riches en nitrate, qui sont autrement perdues. Une séparation des différents déchets entrave plutôt le processus de décomposition. C'est pourquoi on devrait commencer par bien mélanger tous les déchets préalablement broyés sur l'épaisse couche de base et les tasser uniformément. Si

les déchets sont peu variés et nécessitent pour cette raison un apport d'engrais, de chaux ou de roche finement broyée, ces additifs doivent être répandus environ tous les 20 cm.

Une couche inférieure assez grossière permet une bonne ventilation par en dessous.

Le processus de décomposition

Après quelques jours, la température du compost atteint jusqu'à 70°C: certains organismes utilisent beaucoup d'oxygène lors de la décomposition des matières et dégagent ainsi de la chaleur. Pendant la **phase thermophile**, de nombreux germes pathogènes et des semences de mauvaises herbes sont tués, ce qui fait parfaitement l'affaire du jardinier. Après environ 6-10 semaines, la phase de décomposition s'achève, et la température redevient normale.

Au cours de la fermentation, les déchets se condensent à partir du centre, et l'oxygène diminue. Il en résulte que les organismes intervenant dans le processus de décomposition ne peuvent plus travailler à plein rendement: la zone périphérique du compost ne se réchauffe pas. Toutefois, on peut améliorer les conditions d'aérobiose en introduisant et en enlevant successivement un piquet à différents endroits du tas. Mais on peut encore mieux pallier le déséquilibre entre l'intérieur et l'extérieur du tas de déchets en retournant le compost. Ainsi les zones centrales condensées sont défaites et ramenées vers le bord, tandis que les matières se trouvant au bord sont enfouies, pour subir à leur tour la phase thermophile. Plus le tas de déchets est retourné, plus la phase thermophile est courte et intense. Mais l'humus qui en résulte n'est pas d'une longue résistance, si bien qu'il vaut mieux être patient.

Le meilleur compromis entre les besoins du compost et ceux du jardinier soucieux de s'investir modérément dans le compostage est de **retourner** le tas de déchets de une à deux fois. Ainsi, les déchets rassemblés et entassés peuvent être utilisés 6 mois après jusqu'à un an. Si le compost ne se trouve pas à l'abri des intempéries, il convient d'utiliser un **recouvrement**, qui le préservera contre les rayons du soleil, les vents secs et les fortes précipitations. Pendant la phase thermophile, on utilisera un recouvrement laissant passer l'air comme des sacs de jute ou de la paille. Plus tard, un recouvrement opaque empêchera l'arrivée de graines de mauvaises herbes dans le compost et la perte d'éléments nutritifs libres.

Les potirons aiment les tas de compost tout en leur donnant de l'ombre.

Lors de l'emploi de silos fermés, il est important de développer un certain doigté pour estimer le taux d'humidité: des déchets de cuisine frais restent en général assez mouillés, parce que l'eau ne peut ni s'évaporer ni s'écouler. Placés à un endroit ensoleillé, la plupart des bacs sombres dégagent une telle chaleur, que le processus de décomposition est interrompu par manque d'eau. Il faut en tenir compte lors des apports de matériau, de sorte que vous puissiez intervenir à temps.

Les additifs au compost

Actuellement, on trouve beaucoup de moyens facilitant le compostage sur le marché. Toutefois, ils laissent les horticulteurs sceptiques. Il s'est avéré qu'ils agissent particulièrement quand le compost n'est pas bien mélangé. Sinon, ils n'accélèrent pas vraiment le processus de décomposition de manière sensible.

 Les experts en compost ne jurent que par la recette suivante, qui est très simple: délayer une livre de sucre avec un bloc de levure dans 10-15 litres d'eau tiède et verser sur le tas de compost: ce mélange suffit pour 1 m ^{3}.

parations *biodynamiques,* utilisées notamment par les jardiniers anthroposophes pour équilibrer leur compost. Certaines sont élaborées à partir la recette inventée par le pionnier du compostage britannique M. E. Bruce.

Ajout ou nutrition de microorganismes?

Il y a différentes manières d'influencer le compostage, soit en ajoutant des organismes censés maîtriser le processus de décomposition, soit en veillant à procurer une alimentation optimale aux microorganismes. Pour engendrer leur prolifération immédiate, on peut leur donner de l'énergie sous forme de carbures d'hydrogène facilement assimilables. L'ajout de vinasse par exemple, un résidu de la transformation de la betterave sucrière, fonctionne de cette manière et revient, comme beaucoup d'autres types de compost, à donner du "sucre" aux microorganismes. Pour l'apport direct de microorganismes, on conserve des cultures vivantes par séchage: celles-ci reviennent à la vie dans un substrat humide. Le plus

souvent, l'ajout de microorganismes se fait avec des bactéries du groupe *azotobacter,* qui enrichissent l'azote et favorisent la formation d'humus. Elles peuvent être introduites juste après la phase thermophile, et on les trouve aussi naturellement lors de tout processus de décomposition bien mené.

Dans le commerce spécialisé, vous trouverez des produits qui contiennent aussi bien des éléments nutritifs que des microorganismes; ils peuvent aussi contenir des extraits de substrat améliorant la structure (entre autres de l'argile). On trouve ces produits depuis des années dans le commerce et ils se sont fait une bonne réputation tant auprès de leurs utilisateurs que dans les études scientifiques. Dans un centre de jardinage, on pourra vous conseiller le produit le plus adapté à vos besoins. Il existe aussi des pré-

Comment équilibrer le rapport C/N?

C'est surtout lorsque les déchets sont ligneux ou pailleux qu'il faut diminuer le rapport C/N. En l'absence de matières azotées comme le fumier par exemple, il convient d'ajouter des **engrais azotés organiques**. On préférera la corne brute à la poudre de

corne ou au sang desséché pour le compost en raison de son action sensiblement plus longue (quantité: jusqu'à 3 kg/m³ de déchets organiques). Le même effet peut être obtenu avec du ricin ainsi que des bourraches et orties (voir p. 44). On les verse délayées sur le silo selon un rapport 1:5. Une carence en autres éléments nutritifs est rare pour le compost. Vu leur teneur en métaux lourds, les **cendres de bois** riches en calcaire et en potasse ne devraient être utilisées que prudemment et à raison de 5 kg/m³ au plus.

Chaux et poudre de roches: deux remèdes standards du jardinier

Si jeter de la chaux sur le compost fait partie des habitudes bien établies de la plupart des jardiniers, il ne faut pas considérer cette pratique comme nécessaire à tous les coups. Un apport de **carbonate de chaux** (à raison de 3 kg de CaCo³/m³) n'est vivement conseillé que si la quantité d'herbe coupée et de déchets ménagers est importante, ou surtout si les feuilles

A côté de l'équilibrage en C/N, ce sont surtout les apports en poudre de roches qui sont recommandés.

et les aiguilles ainsi que la sciure de bois sont très acides, et ce afin de ramener le pH à une valeur plus ou moins neutre. Toutefois, dès que le fumier entre en jeu, l'utilisation de chaux n'est pas appropriée, parce que cela entraînerait une libération d'ammoniaque. La **cyanamide calcique** (jusqu'à 1kg/m³) ne procure pas seulement de la chaux, mais peut aussi améliorer le rapport C/N et même préserver le substrat des maladies, parce qu'elle libère provisoirement de la cyanamide très toxique. La cyanamide tue tous les germes pathogènes, donc tous les champignons, les parasites vivants et même les mauvaises herbes, mais pas les organismes utiles. On a effectivement pu prouver qu'après l' "aseptisation" radicale, les microorganismes utiles réapparaissaient rapidement. Toutefois, la cyanamide calcique n'est pas très appréciée par les jardiniers pratiquant la culture biologique.
Grâce à leur grande capacité de stockage, les **poudres de roches** peuvent empêcher les pertes en éléments nutritifs et également les odeurs désagréables. C'est la raison pour laquelle on en jette volontiers sur les déchets ménagers. En choisissant la grosseur des particules, on peut éviter le développement d'un sol à structure unilatérale: l'argile des marnes (3-4 kg/m³) convient mieux pour des sols sableux, les sables grossiers (10-12 kg/m³) pour des sols lourds.

Types particuliers de compost

Si on dispose de grandes quantités de déchets différents, les composter séparément présente ses avantages: leurs caractères unilatéraux s'équilibrent, et il en résulte un produit de haute qualité aux propriétés bien connues.

Le fumier

Les matières fécales animales ne présentent pas seulement une haute teneur en éléments nutritifs, elles apportent un nouvel élément vital dans le sol. Il faut cependant tenir compte des différences entre les espèces animales utiles.
Le **fumier de bœuf** se situe plus ou moins au centre des différents types de fumier en raison de ses propriétés. C'est certainement celui qu'on utilise le plus souvent dans les jardins. Afin d'équilibrer la teneur élevée en azote, un ajout de matières carbonées comme de la paille ou des copeaux de bois est recommandé, comme c'est déjà souvent le cas avec le fumier d'étable. Un apport de terre à raison d'un tiers au plus est aussi judicieux.
Le **petit élevage** dégage généralement de la fiente riche en éléments nutritifs mais très forte. La plus riche, la plus forte et la plus liquide est celle de la **volaille**; elle nécessite absolument des additifs carbonés pour stabiliser la structure du sol.
Le **fumier de cheval et de mouton** ne peut être tassé sur plus de 80 cm de hauteur, sinon il se réchauffe trop fort. Le compost doit bien mûrir, pour ne pas brûler les plantes ou engendrer d'autres problèmes. Ceux qui sont sensibles aux odeurs peuvent dès le début répandre de la farine de roche sur le compost. La chaux ne convient pas au fumier et n'a rien à faire ici! Si on a veillé à ce que l'aération soit suffisante, la décomposition commence vite. Pendant cette période, il ne faut pas recouvrir le tas de fumier, sinon il se réchauffe trop fort. Mais après la phase thermophile, le recouvrement devient important pour éviter le lessivage des éléments nutritifs utiles.

Qu'en est-il des feuilles mortes?

En automne, on sait rarement que faire avec les feuilles mortes. Pendant le compostage, les feuilles des différentes espèces d'arbres se comportent aussi différemment que les divers types de fumier: les tanins, les déchets volumineux ou de trop fortes teneurs en acide

Le propriétaire d'un tel tas de fumier peut s'estimer heureux. Lorsque le processus de décomposition sera terminé, il obtiendra un compost qui sera particulièrement riche en éléments nutritifs.

Toutes les sortes de feuilles ne conviennent pas au compostage.

feuilles et on stockera les déchets riches en tanin tout l'hiver s'il le faut, avant de les tasser sur le silo. De plus, un apport de terre au compost amoindrit le danger que les feuilles humides collent ensemble.

Pour parvenir à un bon rapport C/N, on ajoutera en outre des matières carbonées; s'il en manque, on utilisera des engrais organiques à raison de 2-4 kg de corne brute/m³, poudre de corne, ou de sang desséché et de 4-6 kg de ricin/m³. On peut mélanger la même quantité de farine de roche (pour améliorer le processus de décomposition) et de chaux (pour neutraliser l'excès d'acide). Les feuilles mortes se décomposent fortement et devraient absolument être transformées après 4-6 semaines. Comme les feuilles se laissent facilement emporter par le vent, il convient de couvrir le tas avec une fine couche de terre par exemple. Le compost de feuilles, qui donne l'humus le plus riche, ne sera de préférence pas utilisé avant le printemps suivant.

Difficiles à composter:
noyer, châtaignier, platane, pin, peuplier
Beaucoup de substances tannantes, mais malgré tout un substrat de valeur: bouleau (curatif), chêne (pour les tourbières)
Faciles à composter:
fruits à pépins et à noyaux, frêne, tilleul, érable, aune, sorbier, saule, noisetier.

empêchent la décomposition. Pour pallier à cet inconvénient, on peut collecter et en même temps réduire la taille des déchets avec une tondeuse munie d'un sac collecteur. On laissera aussi un peu sécher les

Compost particulier: paille et mousse

Matériel	Caractéristiques	Adjuvants et remarques
Paille (sciure)	sec, stable, grossier, pauvre en azote	bien hacher, apport riche en azote
Mousse	coriace, sèche, pauvre en éléments nutritifs	absorbe l'humidité (par ex. du carton trempé) et apport riche en azote (évent. engrais organique complet), terre, poudre de roches, chaux

La production d'humus par les vers de terre

Pour une alimentation appropriée

La production d'humus par les vers de terre s'est fait un nom ces dernières années surtout en raison de sa richesse en éléments nutritifs et de ses excellentes propriétés structurelles. Mais l'avantage décisif de ce type de compostage est qu'il ne requiert pas beaucoup d'espace. Il est donc possible de faire du compost dans des caisses et autres petits réservoirs sur une terrasse ou un balcon. Le protagoniste de ce type de compostage n'est pas le ver de terre tel qu'on le trouve dans les champs et les prairies, mais le lombric d'une longueur moyenne de 6, 7 cm et dont le trait particulier sont les anneaux plus ou moins distincts qui strient son corps rouge. Le véritable espace vital de ce lombric est le fumier, dont la température élevée répond aux besoins. C'est la raison pour laquelle on le rencontre souvent dans le compost de fumier mûr, qui n'est plus aussi chaud, où il s'est établi.

Il ne faut pas nécessairement avoir du fumier dans son jardin pour pouvoir travailler avec les vers de terre. Au contraire: les fumiers plus ou moins forts doivent préalablement reposer un an et plus avant de convenir à ce type de compostage. Mais

Dans cette caisse, l'humus prêt est séparé des substances de base.
Le marc de café, un vrai régal pour les vers de terre.

quoi qu'il en soit, d'innombrables possibilités s'offrent pour les vers.

Comme pour la plupart des organismes entrant dans le processus de décomposition, le rapport C/N est un facteur important pour leur alimentation.

Une alimentation saine requiert un rapport relativement riche en carbone allant de 15 à 20:1. Les vers étant allergiques aux matières très acides; le pH optimal va de 6,5 à 8 et peut, au besoin, être diminué avec de la chaux (mais pas du fumier!). Dans de bonnes conditions, les vers ingèrent quotidiennement plus de la moitié de leur propre poids et se multiplient vite. Les matières qui se laissent composter normalement conviennent aussi à leur alimentation, et cela d'autant plus qu'elles sont bien broyées. Les colloïdes organiques se mélangent alors bien aux particules minérales dans leur canal digestif, si bien qu'il en résulte un complexe argilo-humique de qualité.

Un habitat pour les vers de terre

Les plupart des éleveurs de vers vendent les vers dans des réservoirs adaptés.

Ces réservoirs sont généralement en plastique recyclé et ne laissent passer ni la lumière, ni l'air. Les mineurs de fond que sont les vers n'ont effectivement pas besoin d'air ni de

lumière; ils se plaisent même bien dans un substrat compact et humide. C'est pourquoi il ne faut en aucun cas exposer les réservoirs au soleil, sinon le compost risque de se réchauffer et de se dessécher excessivement.

En principe, on peut travailler avec les vers dans tous les types de réservoir actuels et même dans les silos ouverts. Il importe que le compost :

• ne soit pas exposé en plein soleil
• soit à l'abri du vent
• soit humide
• soit couvert
• soit éventuellement protégé contre les taupes.

Le dernier point est important parce que les taupes, mais aussi les musaraignes, sont friandes de vers. C'est la raison pour laquelle on met un treillis dans le sous-sol, de manière à leur barrer l'accès direct.

Les vers de compost se multiplient de façon massive, s'ils se trouvent dans de bonnes conditions.

Comment procéder?

Avant de mettre des vers dans du compost, il faut au moins attendre six semaines, jusqu'à ce que la phase thermophile soit écoulée. En effet, les vers ne supportent pas des températures supérieures à 40°C. Une fois les vers introduits (à raison de 500 à 1000), le compost doit être maintenu humide. Mais il faut aussi veiller à ce qu'un éventuel surplus d'eau puisse s'écouler. Afin d'éviter que la phase thermophile ne se mette trop tôt en route, les matières fraîches ne seront pas enfouies, mais laissées au bord. Il n'est pas nécessaire de retourner le compost. Au plus tard 4 à 6 semaines avant la récolte, les matières fraîches doivent être clairement séparées du compost mûr. Plus cette séparation survient tard, plus il est certain que les vers migreront vers le compost jeune, avec la nouvelle génération. Pour récolter et travailler le compost, on n'utilisera que des fourches à bouts arrondis, pour ne pas blesser les vers inutilement.

Compost prêt à l'emploi

Autrefois, de nombreux jardiniers laissaient simplement reposer le compost deux à trois ans. Aujourd'hui, la plupart d'entre eux savent que le compost bien préparé est déjà utilisable après quelques mois. La méthode la plus courante pour voir cela est le test de germination du cresson.

Quand le compost est-il mûr?

Pour voir le degré de maturation du compost, il suffit de remplir une assiette plate avec du compost et de bien l'humidifier. Ensuite, on sème des graines de cresson et on recouvre le tout pour que le compost reste bien humide. Si après 3, 4 jours, la plupart des graines ont germé, le compost ne contient plus de substances nuisibles pour les plantes et peut alors être utilisé dans d'autres domaines. Si les feuilles du cresson sont vertes, cela signifie que le compost est mûr, tandis que la présence d'un grand nombre de feuilles jaunes ou brunes laisse supposer que l'humus est encore jeune. Si seules quelques semences germent, le substrat devra encore se décomposer avant d'être prêt à l'emploi. Comme les constituants chimiques des déchets organiques changent pendant leur décomposition, on peut aussi se faire

Le test de germination permet de vérifier la quantité de compost arrivé à maturité.

 L'âge du compost est déterminant pour son emploi. Du **compost frais ou grossier** peut déjà être récolté après quelques semaines si la décomposition a été menée de manière intensive; dans des circonstances normales, il faut attendre près de six mois. Sous cette forme, le processus de décomposition continue et il contient beaucoup d'organismes vivants qui permettent la libération continuelle d'éléments nutritifs. C'est pour cette raison que le compost frais est aussi employé pour une brève activation du flux.

Du **compost arrivé à maturité** par contre, comme son nom l'indique d'ailleurs est déjà complètement transformé. Malgré sa grande teneur en éléments nutritifs solubles son action n'est plus si vitale. Du compost arrivé à maturité est récolté au bout de 4 mois, si le processus a été accéléré, mais en règle générale, il n'est récolté qu'au bout de 6 à 12 mois.

une idée du degré de maturation du compost en recourant à des tests analytiques. On trouve par exemple dans le commerce spécialisé des bâtonnets indicateurs permettant de déterminer le stade de maturation du com-

Après avoir été tamisés, les restes sont remis sur le tas de compost.

post, en fonction de sa teneur en nitrate, ammoniaque et sulfure. Mais seule une combinaison de ces tests permet de faire un diagnostic univoque.

Les propriétés du compost prêt à l'emploi

Les composants du compost dépendent des matières organiques utilisées au départ. Tandis que les déchets provenant du jardin donnent un compost plutôt pauvre en éléments nutritifs, ces mêmes déchets mélangés à du fumier ou à des déchets ménagers donnent un compost très riche. Mais c'est l'humus produit par les lombrics qui présente la plus grande teneur en éléments nutritifs. Les déchets ménagers présentent souvent de fortes teneurs en sel, ce qui nuit à la végétation; une teneur supérieure à 1% rend le compost critique. Il est un fait que moins les déchets sont variés, moins le potentiel de germination est bon, même si le compost est tout à fait mûr. Normalement, les jardiniers misent sur le fait qu'une phase thermophile bien menée tue les mauvaises herbes et les germes pathogènes. Mais

ceci n'est jamais vrai à cent pour cent, même si la phase de décomposition a été conduite on ne peut plus soigneusement. Dès lors, si l'on veut que le compost soit exempt de germes pathogènes, lors du repiquage de plants par exemple, il faudra le désinfecter. Le jardinier amateur utilisera au besoin sa cuisinière: 10 minutes au four préchauffé à 200°C, et on a un substrat exempt de germes à notre dispositon.

Chiffres de mesure pour le compost (substance sèche)

Total en azote (N)	0,5-1,5%
Total en phosphate (P_2O_5)	0,1-0,8%
Total en potassium (K_2O)	0,3-0,8%
Magnésium (Mg)	0,1-2%
Chaux (Ca)	1-12%
Substances organiques	20-40%
Rapport C/N	12-30:1
Taux de pH	6,5-8

Les engrais organiques disponibles sur le marché

Autrefois, on n'avait pas le choix: la croissance des plantes était garantie par la réintégration, plus ou moins consciente, de tous les déchets organiques (et déjà en partie des roches moulues) dans le cycle naturel. C'est seulement après avoir découvert la fonction de chaque élément nutritif qu'on en vint à introduire diverses matières dans le sol de façon ponctuelle et cela, en fonction de leur teneur. Le progrès suivant consista à isoler les éléments nutritifs grâce à des procédés chimiques, et à les composer dans un rapport apparemment nécessaire à la végétation. C'est ainsi que les "engrais chimiques" virent le jour. Le fait qu'on ne puisse considérer l'apport d'engrais minéraux comme optimal pour la nutrition des plantes est explicité ailleurs dans le livre.

S'il est vrai que le rôle des constituants organiques est important dans la pratique, et que les "engrais naturels", le fumier et le compost, jouent toujours un rôle significatif dans les jardins à ce jour, ceux-ci n'en ont pas moins été de plus en plus relégués au second plan car ils ne permettaient visiblement pas les augmentations de rendement escomptées.

Néanmoins, le retour à la nature a suscité un nouvel essor dans la vente d'engrais organiques ces dernières années. Si personne ne veut plus renoncer à l'apport ponctuel d'éléments nutritifs, les engrais minéraux très concentrés et rapidement solubles ont toutefois perdu de leur crédit. A leur place, on trouve de plus en plus de déchets minéraux sur le marché. Certains d'entre eux

ont été composés de différentes matières sur le modèle des composés minéraux, si bien qu'ils possèdent tous les éléments nutritifs dans un rapport équilibré et constituent un apport global.

Récupération de déchets en culture biologique

La plupart des substances utilisées pour fabriquer les multiples engrais organiques pro-

A droite : le fumier en provenance de la ferme est également composté et proposé en sacs.

En dessous: le passage de substances de fumures organiques vers des substances minérales est rapide.

viennent de la récupération de cadavres d'animaux, raison pour laquelle ils sentent mauvais: les poudres de corne, de sang et d'os proviennent essentiellement des déchets de nos abattoirs. Pour des raisons d'hygiène, on conseille de ne pas les épandre les mains nues et de prévoir une pause pendant l'épandage. Tous les éco-

logistes savent que les déchets organiques sont réutilisés judicieusement de cette manière, et que nous n'existerions pas sans le cycle naturel. Parmi les engrais azotés, certains sont faits à partir de **cornes** et de **sabots**. Plus ceux-ci sont grossièrement moulus, plus l'engrais se décompose lentement et de ce fait, libère les éléments nutritifs lentement. La corne brute agit donc bien plus longtemps et plus lentement que la poudre de corne. La semoule de corne se compose de particules de grosseur moyenne.

Un autre engrais azoté est le **sang desséché**, qui agit beaucoup plus vite. Mais tandis que les engrais faits à partir de corne se composent aussi essentiellement de calcium et de phosophore, le sang desséché contient presque tous les autres éléments nutritifs, mais seulement en petite quantité.

Un troisième engrais de ce type est la **poudre d'os**. Elle est surtout riche en phosphore et en calcium. La poudre d'os traitée à la vapeur contient aussi une quantité appréciable d'azote, contrairement à la matière crue.

L'un des engrais naturels les plus connus est le **guano**. Cela fait maintenant des dizaines d'années que la fiente séchée des oiseaux marins collectée sur les côtes péruviennes est exportée vers les pays outremer où on l'utilise pour sa richesse en phosphore et en azote. Entre-temps, on essaie aussi d' "améliorer" le fumier de poule chez nous en vue de l'exporter. Le **ricin** est l'engrais fabriqué à partir de déchets végétaux le plus répandu. Les résidus provenant de l'extraction d'huile ne procurent pas seulement de l'azote assez rapidement, mais ils favorisent aussi clairement la production d'humus.

D'autres producteurs d'engrais utilisent les grandes quantités de **marc de raisin** provenant de l'industrie vinicole pour ses propriétés fertilisantes. Bien sûr, de nombreux autres déchets végétaux issus de l'industrie, comme par exemple de la sucrerie, peuvent être transformés en engrais organique. Les **algues séchées** sont des déchets marins, mais seront spécialement traitée dans le chapitre "Chaux". Il existe aussi d'autres produits phytotechniques faits à partir d'algues marines qui contiennent surtout des oligo-éléments, de l'albumen et des constituants favorisant la formation d'humus, mais peu d'éléments nutritifs de base.

Grâce à un dosage précis, les engrais organiques peuvent aussi libérer les éléments nutritifs nécessaires.

Les engrais composés

Soucieux de faciliter la tâche des hommes et d'en profiter, la plupart des grands producteurs d'engrais ont mélangé des éléments simples ensemble pour faire des **engrais organiques composés**. Leur avantage est évident: le jardinier n'a pas besoin de trois ou plusieurs sacs de chaque élément et ne doit pas faire de calculs difficiles pour déterminer les quantités nécessaires aux besoins nutritifs de ses plantes.

Il lui suffit de plonger sa main dans le sachet et d'en répandre le contenu en suivant le mode d'emploi.

Bien sûr, la composition des engrais composés varie quelque peu, pour mieux correspondre aux besoins nutritifs des divers groupes de plantes. Ainsi, il y a des mélanges spéciaux pour les fraises et les roses, pour les sapins, le rhododendron et la pelouse, ce qui est contestable. En effet, les exigences respectives des végétaux varient souvent moins que les propriétés de chaque jardin. C'est surtout pour cette raison que les connaisseurs ne renoncent pas aux engrais simples: ils essaient de répondre aux besoins particuliers de leur sol.

Et comme la plupart des jardins sont saturés en phosphore et en potassium, l'emploi d'engrais composés ne se justifie que si ces deux éléments ne sont présents qu'en faible quantité dans le sol.

Si les engrais ont été adaptés au type de sol, les résultats se font vite voir.

Les engrais à la fois organiques et minéraux

On rencontre souvent des mélanges d'engrais organiques et minéraux. A ce propos, on utilise volontiers des notions confuses, en jouant sur la notion de cycle naturel et en plaçant les constituants organiques à l'avant-plan. Les minéraux sont ajoutés soit pour parvenir plus facilement à un bon rapport entre les éléments nutritifs, soit pour compléter la lente formation d'humus par une fertilisation à court terme. Dès lors, l'usage de tels composés est judicieux surtout si la vie et la structure du sol sont bonnes, et si les minéraux peuvent s'intégrer dans le cycle naturel.

Si les composants sont bien équilibrés, alors un engrais composé peut même contribuer à la formation d'humus. A vrai dire, les jardiniers conséquents pratiquant la culture biologique ne devraient pas se laisser induire en erreur et feraient mieux de recourir à des engrais purement organiques en cas de doute.

Comment fabriquer soi-même un engrais liquide?

Le jardinier ne souhaitant pas recourir à des engrais minéraux doit parfois se remuer un peu les méninges pour savoir comment répondre rapidement aux besoins alimentaires des végétaux au début de leur croissance ou en cas de sous-alimentation manifeste. La solution se trouve dans la nature même, dans les préparations solubles faites à partir de végétaux. La forte teneur en nitrate de l'ortie *(Urtica dioica)* prédestine cette plante souvent redoutée comme mauvaise herbe à la production d'un engrais liquide azoté. Il suffit de couper toutes les parties aériennes de l'ortie avant sa floraison, donc de préférence entre mai et juillet, car c'est pendant cette période que sa teneur en azote est la plus élevée. Un autre producteur considérable d'azote est la consoude (*Symphytum officinale*), dont les grandes feuilles doivent être collectées entre le printemps et l'automne si on veut les destiner à cet emploi. Mais d'innombrables espèces végétales permettent de faire de l'engrais azoté: les fleurs et feuilles des pissenlits,

les pousses de fenouil, de prèle, de baies rouges ou de soucis ainsi que les feuilles de tomate sont en partie destinées à des

usages particuliers. Tandis que l'essence de tomate par exemple est volontiers assimilée par les plantes de la même espèce comme les concombres, les oignons et les choux, on utilisera de préférence l'essence de baies rouges pour fertiliser les pelouses.

Avec un purin fabriqué soi-même, on peut réaliser rapidement et de manière biologique un apport en éléments nutritifs.

La consoude est un des deux principaux fournisseurs d'azote. Cette plante pousse de préférence dans les prairies humides.

La préparation d'engrais liquide

On remplit un tonneau suffisamment grand de mauvaises herbes crues et hachées et d'eau douce froide (par exemple, l'eau de pluie); en général, le rapport est d'environ 1 kg de mauvaises herbes crues, soit 150 g de mauvaises herbes sèches, pour 10 l d'eau. Les récipients métalliques ne conviennent pas à cet usage; il vaut mieux utiliser un récipient en plastique, en grès ou en bois. On place ensuite le récipient dans un coin du jardin prévu pour cela, car la fermentation ne dégage pas seulement de l'écume, mais aussi une vapeur désagréable.

On peut de temps à autre remuer la solution ou ajouter de la poudre de roche pour que la décomposition soit homogène. Après deux à trois semaines, la production d'écume s'arrête, ainsi que la fermentation. Avant de répandre l'engrais liquide sur le jardin, il faut normalement le diluer. Lorsque la dilution atteint un rapport de 1:50, l'engrais liquide peut être pulvérisé directement sur les feuilles, où l'absorption des éléments nutritifs est particulièrement rapide.

Purin de plante comme engrais

Plante	Quantité par litre	Dilution	Action en tant qu'engrais
Ortie	100 g	1:10 1:20	surtout azote, oligo-éléments
Consoude	100 g	1:20	surtout azote, oligo-éléments
Tomate	50-100 g	1:15	e.a. pour les tomates, favorise la croissance
Chou	300 g	1:10	diff. substances efficaces
Fenouil	100 g	1:20	diff. substances efficaces
Betterave rouge	100 g	1:10	améliore la croissance, pour les pelouses
Pissenlit	150-200 g	1:5	stimule la croissance
Soudi	100 g	1:15	tonique, surtout pour choux et tomates
Prèle	100-200 g	1:10	acide silique, tonique

Les engrais minéraux

Les engrais minéraux aussi sont simples ou composés. Ils proviennent la plupart du temps de roches qui contiennent déjà une concentration relativement importante d'un élément nutritif, comme les scories par exemple. Mais dans la plupart des cas, la distinction entre les engrais minéraux et organiques n'est pas aussi simple. Les déchets (organiques) provenant de la transformation de la betterave sucrière par exemple, donnent un engrais très riche en potassium, où celui-ci se trouve sous forme minérale.

Il en va de même pour les cendres de bois, qui sont aussi d'origine organique, mais dont les hautes teneurs en potassium et en calcaire sont liées sous forme minérale (voir p. 50). En plus d'éléments-traces, les cendres de bois contiennent malheureusement beaucoup de métaux lourds, si bien qu'il vaut mieux renoncer à son emploi en cas de doute. En mélangeant artificiellement les engrais minéraux, on peut obtenir toutes les propriétés que l'on veut:

• la combinaison nutritive souhaitée
• des engrais adaptés aux sols acides, alcalins, partiellement équivalents
• un engrais avec ou sans chaux
• un engrais avec ou sans chlore
• un engrais enrichi en oligo-éléments ou pas
• un engrais à action rapide ou lente.

Les engrais enrobés ont une action fertilisante particulièrement longue; ils ne libèrent leurs éléments nutritifs que petit à petit à travers la capsule et se comportent à ce propos comme les engrais organiques. Le chlorure joue un rôle important dans la mesure où il est souvent chimiquement associé aux sels nutritifs, bien qu'il ne soit bien toléré que par quelques plantes, comme par exemple le céleri.

Une bonne formation d'humus réduit en grande partie les effets désavantageux des engrais minéraux. Néanmoins, si les engrais minéraux présentent apparemment sans problème les propriétés requises, les particuliers doivent les utiliser pru-

L'épandage d'engrais minéral complet n'est généralement pas raisonnable.

Teneur en éléments nutritifs d'engrais minéraux

Engrais	Elément nutritif primaire	Composant secondaire	Remarque
Engrais azoté			
Nitrade de soude	env. 15% N	25-30% Ca	agit immédiatement, alcalin, danger d'élimination par ruissellement
Nitrate de chaux	22% N	55-60% Ca	agit lentement, alcalin, libère des toxines!
Sulfate d'ammoniaque	21% N		effet rapide, assimile le calcium
Urée	46% N		agit rapidement
Engrais phosphaté			
Phosphate	15-20% P	35-45% Ca	
Engrais potassique			
Chlorure de potasse	40, 50 ou 60% K		contient de la chlorure
Sulfate de potasse	25-30% K	6-10% Mg	sans chlorure
Cendre de bois	6-12% K	30-50% Ca	chargé de métaux lourds
Magnésium	15-30% Mg	oligo-éléments pour conifères	

Oligo-éléments (voir poudre de roches p. 48)

Engrais complet
Dans différentes "formules" ("bleu" = sans chlorure)

demment dans leur jardin, comme cela a déjà été dit ailleurs. Les engrais composés ne seront plus abordés ici. Si le recours aux engrais minéraux s'avère nécessaire, il ne faut pas les utiliser de manière globale mais de façon ponctuelle, en tenant compte des besoins nutritifs pour qu'ils soient vraiment efficaces.

Le sulfate de potasse est un engrais double typique, convenant à des applications précises.

L'amendement du sol par les poudres de roches

L'emploi de poudres de roches pour la fertilisation ou l'amendement du sol remonte à l'époque romaine. Les poudres de roche, parmi lesquelles il faut tout d'abord mentionner les argiles, améliorent efficacement la structure du sol grâce à leur grande capacité de liaison. Les constituants chimiques de base des poudres de roches sont le silicium (Si), précisément le quarz (SiO_2), constituant principal du sable. Il se décompose lentement mais n'est pas hydrophile et ne peut stocker d'éléments nutritifs.

Le granite, par exemple, contient beaucoup de quarz. Mais pour les processus biotiques, c'est surtout la forme silicatée qui est utile. Dans les silicates, le silicium est au départ lié à l'oxygène dans des feuillets. Quand les silicates se décomposent, il reste des petits granulés dont le diamètre est légèrement inférieur à 2 microns: les argiles. Lors de ce processus de décomposition, la surface de fixation est quadruplée. Ainsi, les argiles (principalement constitués d'oxydes d'aluminium) peuvent efficacement retenir l'oxygène ainsi que des polluants. Ils sont hydrophiles, retiennent d'importantes quantités d'eau, qu'ils libèrent à nouveau quand il fait sec. Quant à l'oxygène, il est si bien stocké dans ce type de structure que le déclenchement d'un processus de putréfaction anaérobie est exceptionnel. Les argiles ne contiennent pas de grandes quantités d'éléments nutritifs de base, mais par con-

Emploi ciblé de la lave

La lave est aussi une sorte de poudre de roches, volontiers conseillée, parce que ce substrat foncé et poreux influence très positivement l'équilibre en lumière et chaleur. Comme les sites d'exploitation sont composés de biotopes rares et précieux, habités par des plantes et animaux recherchant la chaleur (ce qui vaut en partie pour les sites d'exploitation du basalte), les écologistes s'opposent à une exploitation outrancière.

tre beaucoup d'éléments-traces précieux. Pour la nutrition des plantes, il est décisif que les poudres de roches ne soient pas seulement capables de fixer des polluants mais surtout des éléments nutritifs.

Et cela est d'autant plus vrai que les éléments nutritifs ne peuvent être lessivés, mais sont cédés aux plantes en cas de besoin. Toutes ces propriétés favorables à la structure du sol sont encore améliorées par les

Les différentes sortes de poudre de roches doivent être données en connaissance de cause.

complexes argilo-humiques, qui se forment en présence d'argiles lors d'une humification durable.

Dans la pratique

Les poudres de roches proviennent de la désagrégation des roches. Ce processus engendre divers fragments, qui peuvent encore être désagrégés par des moulins. Les **argiles** sont bien sûr les plus fines, et s'appellent souvent "bentonit" dans le commerce. Elles agissent plus vite et plus efficacement que les poudres de roches plus grossières, et conviennent mieux pour l'amendement de sols légers et sableux. 100 à 300 g suffisent largement par m².

Les poudres issues de roches volcaniques n'ayant pas été concassées comme le basalte, le diabase et la phonolithe sont un peu plus grossières, mais contiennent plus d'oligo-éléments.

Si l'on veut qu'elles aient le même effet que les argiles sur le sol, il faut en utiliser jusqu'à plus du double selon le cas. Les poudres grossières conviennent mieux aux sols lourds.

En conclusion, plus les poudres sont fines, plus la teneur en acide silicique (allant de 35 à 70%, à la différence du quarz) est élevée, et plus la poudre a une action favorable sur la structure du sol. Les poudres de basalte et de diabas sont généralement riches en calcaire. De même, les teneurs en magnésium et en potassium varient en fonction de la grosseur des particules, ce qu'il ne faut pas perdre de vue lors de l'achat de la poudre.

Par ailleurs, on se rendra vers le marchand le plus proche pour limiter les frais. Car le coût du transport chiffrerait en cas de longues distances. L'emploi de poudres de roches est conseillé dans le compost, où elles activent le processus de décomposition et absorbent les polluants indésirables. Mais c'est surtout là qu'elles se désagrègent aussi le plus vite. Leur apport est aussi essentiel dans la fabrication de supports végétaux liquides grâce à leurs capacités de neutralisation.

Lors de la répartition de la poudre de roches, il faut faire attention au vent. Bien qu'elle ne soit pas toxique, cette fine poussière peut gêner les organes respiratoires si elle est inhalée.

Si elle joue un rôle décisif, la chaux n'est pas une panacée

La chaux influence directement le pH. Les composés calcaires sont des générateurs de bases et peuvent ainsi neutraliser l'acidité, qui atteint le sol par l'intermédiaire des polluants mais aussi des processus vitaux. Toutefois, la chaux ne doit pas être utilisée dans tous les cas ni fréquemment. En effet, ce "remède miracle" appauvrit le sol à long terme. Et comme beaucoup de plantes ne supportent pas la chaux, il faut tenir compte de leurs besoins individuels.

Quelle est la forme de chaux la plus favorable?

Dans les jardins, il vaut mieux utiliser le carbonate de chaux ($CaCO_3$). Elle agit assez lentement et contient du magnésium et d'autres éléments-traces. Sur les sols légers, 100 g/m^2 suffisent pour augmenter le pH d'une unité, tandis que les sols lourds en requièrent davantage. Dans la combinaison chimique CaO, la chaux agit plus vite, mais aussi de manière plus aggressive; une réaction rapide engendre par exemple une perte d'azote. En outre, les formes de chaux à action rapide ne peuvent être administrées que dans des quantités correspondant à la moitié de celles du carbonate de chaux. La chaux vive convient mieux aux sols lourds. Dans les scories, le CaO est fortement lié au silicium; ce type de chaux est particulièrement approprié aux sols légèrement acides et sensibles au calcaire, comme les landes par exemple. Dans les algues sèches, la chaux se trouve sous la forme carbonique la plus favorable. Comme elle est extraite de matières vivantes, elle contient en plus du calcaire et du magnésium d'importantes quantités d'acides siliciques et d'oligo-éléments ainsi que des éléments nutritifs pour les bactéries.

Un cas particulier: la cyanamide calcique

Nous avons déjà parlé de la cyanamide calcique dans "Les additifs du compost"(voir p. 32) et dans "Les engrais minéraux" (voir p. 46). On l'utilise d'abord comme engrais azoté, mais elle contient aussi beaucoup de calcium, qu'elle libère dans le sol en se décomposant sous l'influence de l'eau. En même temps se forme un produit transitoire très toxique, la cyanamide, jusqu'à ce que le nitrate assimilable par les plantes se soit constitué. C'est la raison pour laquelle son emploi est contesté, surtout dans la culture biologique.

Il faut en général donner la préférence au carbonate de chaux.

La meilleure façon est de la saupoudrer sur le compost.

A placer directement sur le compost

Comme tel était le cas pour les poudres de roche, il vaut mieux utiliser la chaux sur le compost. Les éléments s'intègrent alors harmonieusement dans le substrat en se décomposant. En aucun cas, la chaux ne doit être utilisée selon le bon vieux principe "Plus on en met, mieux c'est". Une analyse occasionnelle du sol (voir p. 64) permet de voir s'il y a une carence éventuelle en calcium, tant au niveau du pH que de l'élément nutritif lui-même. En ce qui concerne le compost, les déchets utilisés nous renseignent sur la nécessité d'ajouter de la chaux ou pas.

 La chaux ne fait pas bon ménage avec les engrais organiques, notamment avec l'engrais de ferme. L'adjonction de chaux libère de l'ammoniaque: l'azote s'envole dans les airs et dans la terre, les racines sont attaquées par le gaz mordant.

Engrais calcaires

Sorte de chaux	Taux/ Forme chimique	Effet
Carbonate de chaux	80-90% $CaCo_3$	lent, neutre, avec Mg, idéal pour sol léger
Poudre d'algues	70% $CaCO_3$	avec Mg, acide silicique et oligo-éléments
Chaux vive	70-95% CaO	mordant, rapide, plutôt pour sol lourd
Chaux éteinte	60-70% CaO	mordant, rapide
Scories	40-50% CaO	avec oligo-éléments
Cyanamyde calcique	55-60% CaO	plus de 22% d'azote; lors de la décomposition, libère des toxines

L'amendement du sol au moyen de substrats

On parle d'amendemement du sol quand un substrat est utilisé non pas pour sa teneur en éléments nutritifs, mais tout d'abord pour l'action favorable qu'il exerce sur la structure du sol. Les divers types de chaux et les farines de roche traités ci-dessus tombent précisément dans cette catégorie. Le meilleur amendement que l'on peut fabriquer soi-même est le compost; comme on le sait, il exerce en même temps une action fertilisante.

Depuis que les problèmes croissants du recyclage des déchets ont promu le compostage dans les secteurs public et industriel, on trouve du **compost** ou de **l'humus** en sacs dans le commerce. S'ils répondent aux normes de qualités imposées aux fabricants, ils n'en contiennent pas moins de temps à autre de faibles quantités de polluants, ce qui peut être nuisible. En fait, l'humus en sac n'est pas toujours mené au stade final de sa maturation pour des raisons financières. Mais il présente un avantage décisif par rapport au compost fait maison. Il est généralement exempt de germes pathogènes et de semences de mauvaises herbes!

Sont particulièrement précieux les **composts de fumier**, car ils apportent au jardin l' "élément animal" difficilement accessible.

On en trouve différentes marques dans les magasins. Comme tous les engrais faits avec du fumier, ils présentent une plus forte teneur en éléments nutritifs que les composts verts ou les composts de déchets moyens (voir p. 34).

Ces dernières années, on propose de plus en plus rarement des toniques pour plantes. Les plantes sont surtout améliorées par une stimulation de leurs défenses immunitaires et par le cycle des éléments nutritifs. La publicité promet toujours des merveilles, qui ne se réalisent que très rarement. Le mieux est encore de suivre des recommandations personnelles qui ne feront de toutes manières pas de gros dégâts. Des extraits de plantes à base de mousse ou de fleurs de valériane ont fait leurs preuves, s'ils sont donnés en doses homéopathiques.

Depuis quelques années, les produits faits à partir d'écorce ont la cote. Ils se répartissent en trois catégories selon leur qualité.
• Le mulch (voir p. 62).
• Les écorces dont le compostage s'est effectué sous contrôle et qui sont mélangées à d'autres constituants, pour former un substrat répondant aux besoins des plantes.
• L'humus ligneux suffisant à l'amendement du sol, tel qu'il se forme pendant le compostage.

L'humus ligneux est plus riche en éléments nutritifs que la tourbe blanche. S'il est vrai que la tourbe peut mieux retenir l'eau que l'humus, elle se laisse plus difficilement humecter quand elle est sèche.

L'emploi de tourbe se justifie rarement

On ne devrait plus utiliser la tourbe aussi fréquemment qu'on le faisait jadis. Certes, elle est précieuse comme humus stable. Mais vu le phé-

renoncement à l'emploi insensé de tourbe dans tous les secteurs du jardinage ne devrait pas poser problème; de cette manière, on contribuera à la sauvegarde du biotope d'animaux et de végétaux en danger.

Adjuvants chimiques

Pour donner au sol les caractéristiques souhaitées, on recourt parfois à des mélanges artificiels. Des colloïdes de silice par exemple, qui ont une grande capacité d'absorption d'eau. Pour obtenir le même résultat, il suffit de mélanger des flocons de mousse stabilisée à la terre. Ils vont se désagréger avec le temps, ce qui n'est pas le cas des flocons de polystyrène qui sont aussi employés pour alléger et aérer la terre. Le mieux est de demander l'avis d'un centre de jardinage.

Au-dessus: il existe un nombre incalculable de produits, tous destinés à améliorer le sol.
A droite: il faut éviter l'exploitation abusive des tourbières.

nomène menaçant des pluies acides, l'enrichissement d'un substrat acide avec de la tourbe est absurde. Seules les plantes marécageuses nécessitent un milieu acide et justifient donc son emploi. En outre, la tourbe n'est pratiquement pas remplaçable comme fertilisant dans le secteur professionnel de l'horticulture, dont les besoins requièrent déjà une exploitation vivement critiquée par les amis de la nature. En effet, les zones marécageuses où l'on récolte la tourbe sont les rares biotopes d'innombrables êtres vivants menacés d'extinction. Vu les diverses possibilités, un

Le travail mécanique du sol

En plus d'éléments nutritifs et de substrats améliorant sa structure, le sol doit être travaillé au moyen d'interventions mécaniques simples. Ce travail consiste à remuer la terre, à bêcher et à aérer le sol plus ou moins en profondeur, à émietter les grosses mottes, à retirer les racines de mauvaises herbes, à niveler la surface du sol ou au contraire à la butter. Pour ce faire, il faut tout d'abord disposer des outils nécessaires. Le prix des outils ne devrait pas entrer en ligne de compte lors de leur achat, car les outils de bonne qualité ne durent pas seulement plus longtemps, mais ils facilitent aussi le travail. Les outils à têtes multiples dont les marques sont bien connues sur le marché du jardinage attirent souvent le client, mais leur solidité laisse parfois à désirer. Leur faille se situe souvent à la jonction entre le manche et l'outil. Aucune autre remarque générale n'est à faire sur l'achat des outils; il faut que le jardinier prenne les outils en main et essaie de s'en faire une idée avant des les acheter.

Quels sont les outils nécessaires à l'entretien du sol?

Il faut tout d'abord mentionner les outils servant à bêcher: la **bêche** et la **fourche à bêcher**. Ils se distinguent des autres outils, parce qu'on ne les bouge pas dans un seul sens; la force est souvent transmise au sol autour de l'axe, si bien qu'un manche massif (d'un

La fourche double est spécialement étudiée pour le jardinier biologique.

diamètre de 35 mm environ) avec une poignée en forme de T ou de Y conseillé. Afin de permettre un travail ergonomique, ces outils doivent avoir une longueur se situant environ à hauteur du nombril, lame et manche compris. Les possibilités d'emploi de ces instruments sont claires: tandis que la fourche à bêcher sert à ouvrir le sol et à en retirer des mottes complètes, ce qui convient surtout pour les sols lourds, la bêche sert à retirer des morceaux de terre plus légers et moins compacts et à les retourner. En outre, il vaut mieux utiliser la fourche si des mauvaises herbes doivent être enlevées; la bêche ne ferait que couper les profondes racines en plusieurs morceaux, et les multiplierait donc. Une forme spéciale de fourche est la fourche à bêcher double, qui est munie de quatre à huit dents concaves, et que l'on plante dans le sol pour ouvrir les dents avant de les retirer et ainsi de suite.

La **pelle** est tout d'abord nécessaire pour remuer des substrats plus poreux (par exemple le compost). Pour elle, ainsi que pour les outils suivants, une poignée dite en forme de boule suffit.

Une **brouette** est bien sûr recommandée pour déplacer des substrats sur de longues distances. Un outil type des jardiniers pratiquant la culture biologique est la **pioche à une dent**, servant à ouvrir le sol. Grâce à sa dent unique, elle s'enfonce dans le sol sans trop

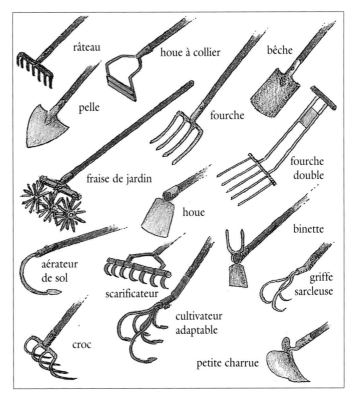

râteau • houe à collier • bêche • pelle • fourche • fourche double • fraise de jardin • houe • binette • aérateur de sol • scarificateur • griffe sarcleuse • cultivateur adaptable • croc • petite charrue

d'efforts et permet de l'ouvrir comme on le veut, même entre des plantes proches l'une de l'autre. Le **cultivateur** possède de trois à cinq dents: elles sont munies de "pointes de flèche" qui s'enfoncent automatiquement à une profondeur de 10 cm dans les sous-sols quelque peu poreux. Cet outil est parfois "réglable", en ce sens qu'on peut en enlever les dents une à une. La **griffe sarcleuse** plus petite n'est qu'une griffe triple sans "pointes d'épée"; elle convient donc pour ouvrir le sol horizontalement. Le **croc** à quatre dents a l'aspect d'une

Un grand nombre d'outils permettent d'exécuter efficacement les différentes opérations.

solide fourche à fumier dont les dents sont courbées à angle droit. Cet outil a donc des dents bien plus écartées et permet de travailler bien plus en profondeur que la griffe sarcleuse. Le croc est volontiers utilisé pour préparer les parterres. Il suffit de l'enfoncer dans le sol préalablement ouvert puis de l'en retirer et ainsi de suite, pour casser les morceaux relativement gros. En outre, il permet aussi d'introduire le fumier ou le compost en surface. Parmi les outils de jardinage que l'on rencontre le plus fréquemment, on trouve la **pioche** et la **serfouette**. Tandis que le premier côté de l'outil formant une petite rasette permet d'enlever les mauvaises herbes, l'autre côté constitué de deux ou trois dents permet d'ouvrir le sol. La **houe** lourde n'est plus utilisée à ce jour que pour enlever des mottes d'herbe ou pour ouvrir pour la première fois un sous-sol compact.

Le sarclage, le fraisage, le nivellement et le buttage

Il y a différents types de **sarcloirs** pour enlever les mauvaises herbes. Si les deux extrémités du fer à arête vive sont reliées à deux fines branches (plutôt qu'à une branche médiane), il est plus facile d'enfoncer le fer plus profondément dans le sol, pour couper les racines des mauvaises herbes. La binette peut être utilisée dans les deux sens, en avant et en arrière, de préférence sur un sol meuble. La serpette est l'outil qui nécessite le moins d'efforts, et ayant fait ses preuves dans l'horticulture biologique. La lutte contre les mauvaises herbes au moyen d'engins motorisés est très attrayante, mais n'est pas rentable dans les jardins privés. La **fraise** est disponible sur le marché professionnel comme "brise-mottes". Ses roues en forme d'étoile tournent lorsqu'on fait avancer l'outil et émiettent ainsi le sol encroûté. Le brise-mottes n'est donc utilisé qu'après avoir préparé le sol grossièrement, la plupart du temps pour peaufiner la préparation du semis.

C'est à ce stade qu'on emploie aussi le **râteau**, pour retirer une dernière fois les pierres et les grumeaux du sol finement ouvert et finir de le niveler. Mais son emploi se justifie aussi plus tôt pour enlever les impuretés du sol, ainsi que pour rassembler les feuilles, l'herbe et autres déchets coupés. Les râteaux peuvent avoir des largeurs différentes en fonction de leur usage.

Pour rassembler les matières légères se trouvant sur un sous-sol léger, on utilise aussi volontiers le **balai de pelouse**.

En ce qui concerne le travail du sol, dont les techniques sont à conseiller sans restrictions, il faut aussi souligner qu'il contribue à la **formation d'humus**. C'est la raison pour laquelle il est presque irremplaçable, car même un sol humifère profite d'un approvisionnement constant en humus. Le **scarificateur** est une évolution du râteau: ses dents sont comme de petits couteaux et peuvent pénétrer dans le sol. Il permet surtout d'aérer le sol et de peigner les pelouses, car ses dents retiennent les mousses et autres impuretés et entament en même temps les racines de mauvaises herbes, ce qui ravive le gazon. Les excès d'humidité sont souvent la conséquence d'un gazon envahi par les mousses et clairsemé.

Comme contrepartie des outils servant à niveler le sol, il faut

mentionner la **charrue**. Lorsqu'on le tire sur le sol, sa pointe s'enfonce un peu, et des buttes se forment de part et d'autre du soc. On pratique couramment le buttage pour la culture des pommes de terre et dans de nombreuses cultures maraîchères.

Outils manuels ou motorisés?

Bien sûr, on trouve certains des outils mentionnés ci-dessus dans des dimensions réduites; ceux-ci ne s'utilisent pas debout, mais à genou, en contact direct avec le sol. La pelle, la rasette et la serfouette à main sont les outils de base de la plupart des jardiniers. Les jardiniers aisés ou passionnés de technique seront favorables à l'utilisation d'un **motoculteur** pour travailler le sol. L'achat de cet outil bruyant n'est toutefois rentable que si l'on cultive de grandes surfaces. Pour l'entretien de surfaces plus petites, un tel investissement ne serait pas seulement trop élevé: lors du fraisage, les roues tournent tellement vite que des animaux relativement gros sont déchiquetés et tués. De plus, si on effectue trop souvent ce type de travail, on peut s'attendre à ce que le sol soit ultérieurement endommagé. Les motoculteurs ne devraient être utilisés que sur un sol sec, pour permettre l'allègement du travail escompté.

Outils spéciaux pour le compost

Une **fourche à fumier** par exemple est utile pour le compostage, pour retourner les déchets. Une **griffe** permet de veiller à l'aération du compost sans devoir le retourner. Une petite **hache** permet de réduire la taille des matières encombrantes comme les déchets de bosquets et d'arbrisseaux afin de faciliter leur décomposition. Les petits outils bon marché, qui sont les plus attrayants pour les jardiniers amateurs, ne répondent finalement pas aux attentes (voir p. 30). Enfin, pour obtenir un compost prêt à l'emploi, un **tamis** s'avère aussi judicieux.

Les engins à moteur posent des problèmes, et pas uniquement à cause de leur bruit.

Le labour - oui ou non?

Le labour est devenu un sujet de polémique pour un grand nombre de défenseurs des anciennes méthodes de jardinage et de culture biologique. Pendant des siècles, la charrue fut le principal outil en agriculture et à ce propos, on avait aussi déterminé à quelle profondeur il fallait labourer les jardins. En jetant un coup d'œil sur la vie du sol, c'est ce travail en profondeur que l'on remet aujourd'hui en question. Depuis que la faune et la flore du sol font l'objet d'une étude plus précise, on sait qu'elles sont très sensibles aux changements de leur milieu, à une augmentation ou une diminution de l'oxygénation, de l'humidité, de l'humus ou des éléments nutritifs solubles par exemple. Dans un sol donné, on trouve certains organismes en fonction de la profondeur,

précisément là où ils ont trouvé les conditions nécessaires à leur survie. Les partisans de la culture biologique prétendent aujourd'hui que ce mini-biotope est retourné lors du labour: les plantes et les animaux ayant besoin d'oxygène (aérobies) se retrouvent plus en profondeur, tandis que les organismes anaérobies sont amenés à la surface, ce qui entraîne la mort des uns et des autres parce qu'ils ne se trouvent pas dans leurs conditions habituelles.

Les partisans de la méthode conventionnelle par contre estiment que le labour rend la faune et la flore du sol plus fortes à long terme: les populations épargnées se rétablissent vite et sont, après quelques semaines, plus fortes qu'elles ne l'étaient avant le labour. La raison tient entre autres à une

réalité plus vaste, que les défenseurs du labour reprennent à leur compte. Selon eux, ce sont tout d'abord les parasites que le labour fait disparaître. Contrairement aux microorganismes du sol, ils ne peuvent pas se multiplier rapidement après le labour, parce qu'ils ne retrouvent pas leur habitat préalable, à savoir la plante, qu'ils envahissent normalement.

Le sol - le meilleur conseiller

La querelle qui divise les partisans de différentes "croyances" peut néanmoins vite être réglée, en interrogeant le sol lui-même sur ses besoins. Apparemment, le labour permet au gel de faire éclater les

Lorsque l'on bêche graduellement, il faut faire attention à ce que les deux couches supérieures ne soient pas mélangées.

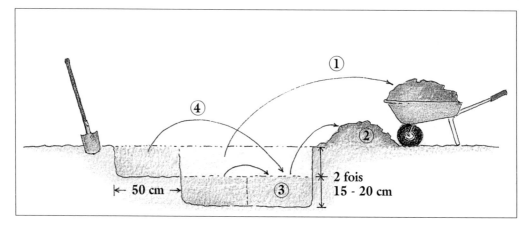

Le bêchage a complètement bouleversé la vie du sol. Cette mesure est pourtant fort efficace sur un terrain lourd.

La manière dont il faut s'y prendre pour bêcher n'est techniquement parlant pas compliquée: les mottes de terre sont soulevées avec une bêche ou une fourche, retournées et rejetées sur ce qui vient d'être retourné. Le **bêchage graduel** est plus difficile; c'est de cette manière que l'on désigne le bêchage sur une double profondeur. La sous-couche inutile et l'humus de surface ne peuvent se mélanger. En **retournant profondément**, les deux couches sont interchangées.

Comment ouvrir le sol sans le labourer?

grosses mottes et d'atteindre les petits grumeaux. Si le sol est sableux, le labour n'est pas nécessaire, parce que les particules du sol ne s'agglomèrent pas pour former de grosses mottes. Les sols légers et moyens sont plutôt secs et chauds. Pour eux, l'équilibre le meilleur possible est atteint lorsque le sol est couvert en hiver, ce qui maintient la chaleur tout en diminuant l'évaporation d'eau, et contribue donc à une meilleure humidité du sol. Par contre, un sol argileux lourd souffre plutôt de l'humidité et du froid. Grâce au labour, l'aéra-tion du sol se voit tout d'abord activée, l'eau peut mieux s'évaporer, et au printemps, le sol ouvert se réchauffe plus vite. Comme cela a déjà été mentionné au départ, le labour casse évidemment les mottes de terre agglomérées. C'est la raison pour laquelle de nombreux praticiens conseillent de ne pas labourer les sols légers et moyens par égard pour la vie du sol. Par contre, le labour des sols lourds et humides, où les plantes souffrent clairement du froid et de l'humidité, en vaut la peine, même s'il nuit provisoirement à la vie du sol, afin de permettre une amélioration progressive de leur structure. On peut bien sûr atteindre ce but en recourant à d'autres méthodes, surtout par une bonne exploitation de l'humus. Mais le labour reste un complément judicieux.

En hiver, une autre possibilité est de couvrir le sol. Mais celui-ci devra de toute façon être ouvert au printemps ou à d'autres occasions pour être cultivé. La manière la plus facile d'ouvrir le sol grossièrement est d'enfoncer la fourche à bêcher (ou mieux encore, la double fourche à bêcher) dans le sol et de la bouger dans un mouvement de va-et-vient. Ensuite, on peut briser la couche superficielle du sol avec un croc ou une griffe. Quand un parterre est couvert de fleurs, la pioche à une dent est l'outil de prédilection des jardiniers, car il permet d'ouvrir le sol entre les plantes sans les endommager.

Mulch et compostage de surface

Tout sol, où des plantes peuvent bien sûr pousser, est un jour ou l'autre couvert de matières organiques. En automne, les restes de plantes fanées ainsi que les feuilles mortes des arbres environnants recouvrent le sol, alors que la plupart des espèces meurent ou retournent dans les racines pour résister à l'hiver. Dans les jardins, ce principe du recouvrement a été repris par une technique que l'on appelle "mulching". Cette technique consiste à couvrir de diverses matières le sol meuble de parterres de fleurs ou de légumes ainsi que les racines d'arbres. Ce recouvrement prolongé du sol a plusieurs fonctions:

- Le principal avantage est une rétention plus longue de l'eau, qui s'évaporerait vite si le sol était nu et exposé au soleil et au vent. Ceci permet aussi de diminuer l'irrigation en été.
- Un sol couvert est un peu plus chaud que s'il était nu: les premiers rayons du soleil au printemps réchauffent plus vite un sol nu qu'un sol couvert de mulch.
- Une couverture neutralise les variations de température extrêmes. Dès lors, les microorganismes peuvent aussi être actifs dans les couches supérieures.
- Les grumeaux du sol ne sont pas directement exposés aux pluies battantes, qui peuvent mécaniquement en détruire la structure. Les sols couverts de mulch risquent donc moins d'être engorgés par l'eau.
- Un sol nu est légèremment soumis à l'érosion; si le sol est incliné, la précieuse couche humifère est érodée par les fortes pluies.
- Dans la nature, il n'y a pas de "mauvaises herbes". Dans le jardin, la protection végétale est remplacée par un film plastique entre les plantes cultivées, ce qui empêche la levée des mauvaises herbes.

La couche de feuilles est l'exemple type de mulchage au jardin.

• Le mulch se décompose avec le temps: il alimente donc les microorganismes, et libère en même temps des éléments nutritifs absorbables par les plantes.

La couche de mulch joue un rôle plus important sur les sols légers et sableux que sur les sols lourds, car ils sèchent plus vite. C'est la raison pour laquelle on peut mettre une couche de mulch plus épaisse sur les sols légers, surtout pendant des périodes de sécheresse prolongée.

Les matières provenant du jardin

Pour couvrir le sol, on peut tout d'abord utiliser les déchets que l'on trouve en grande quantité dans son jardin, comme l'**herbe coupée** par exemple. Elle présente l'avantage d'avoir une structure et une couleur uniformes, ce qui donne un aspect quelque peu ordonné à la couverture. Toutefois, elle ne peut être utilisée fraîche sur une épaisse couche, sinon les brins d'herbes aqueux s'agglomèrent pour former une couche hermétique à l'air, qui constitue un lieu de prédilection pour les limaces. C'est pourquoi il faut laisser l'herbe sécher un peu avant de l'utiliser. Comme les déchets provenant de la tonte s'amenuisent vite en séchant et de surcroît, se décomposent rapidement, il faut continuer à approvisionner la couverture en

herbe coupée, pour qu'elle reste longtemps hermétique à la lumière. Mais il ne faut en aucun cas utiliser des mauvaises herbes séminifères!

A l'automne, les feuilles tombent en grand nombre, et peuvent donc servir de couverture pour les parterres de légumes, d'arbrisseaux. Néanmoins, elles s'envolent facilement, si bien

Au-dessus: une couche d'herbe protège les fraises des maladies et de la saleté.
En dessous: la paille forme une couche protectrice aérée et relativement durable.

qu'il faut ou les couvrir pour les stabiliser, ou ne les utiliser qu'à des endroits situés à l'abri du vent. Certains types de feuilles se décomposent plus vite, d'autres plus lentement (voir p. 35). Par ailleurs, certaines d'entre elles, riches en acide tannique, peuvent nuire au sol à long terme. C'est la raison pour laquelle il faut les retirer au printemps et les destiner au compostage.

Comme les microorganismes ont besoin d'azote pour la décomposition, il convient d'approvisionner le sol en engrais azotés là où de grandes quantités de feuilles se sont décomposées, pour compenser les pertes d'azote. Il en va de même si on utilise de la paille, qui est très carbonée, comme couverture, car les microorganismes ont aussi besoin d'azote lorsqu'elle se décompose.

Sinon, le paillis est très recommandé: la paille a une structure stable et ne se désagrège pas si vite. De plus, on peut l'étaler sur une grosse épaisseur sans entraver l'aération. La paille constitue une bonne couverture pour la culture de fraises, car elle permet d'équilibrer l'humidité du sol et protège les fruits contre les maladies fongiques et les impuretés. Les matières acides ou consommant

Le matériel de mulchage acheté dans le commerce a en général une structure assez stable et un aspect très "propre".

de l'azote seront tout d'abord réservées aux cultures de longue durée, qui sont moins sensibles et dont il faut moins corriger la teneur en éléments nutritifs.

On peut envisager de faire une fine couverture au moyen de grandes feuilles, comme celles de consoude, de raifort, ou de rhubarbe. Une telle couverture se décompose naturellement très rapidement et doit être renouvelée.

Néanmoins, le sol reste humide et meuble. La bourrache, qui convient aussi pour la fabrication d'engrais liquide, est vitalisante et libère des éléments nutritifs en se décomposant. C'est pour cette raison qu'on utilise aussi volontiers les orties, non montées en graines bien sûr. Même si on utilise du **compost** ou du **fumier** pour couvrir le sol, on parle occasionnel-

lement de mulching. Ici, les limites entre la fertilisation, l'amendement du sol et le mulch s'estompent. Il est un fait que le sol couvert de compost ou de fumier subit en grande partie les effets du mulching proprement dit. A ce propos, il faut ajouter que le compost doit régulièrement être arrosé, surtout en été, car s'il sèche en surface, son activité s'amenuise.

Mulch vendu dans le commerce

Bien sûr, tous les substrats imaginables peuvent servir de couverture. Mais le **mulch d'écorce** a spécialement été conçu pour cet usage. Constitué de petits morceaux d'écorce non décomposés, il contient cependant encore tellement d'acides tanniques et

autres éléments nuisibles qu'il ne convient pas pour les parterres de légumes, d'herbes ou de tournesols. Il entrave même la croissance de nombreux sousarbrisseaux. D'un autre côté, c'est précisément parce qu'il est acide que le mulch d'écorce a fait ses preuves dans les plantations d'arbrisseaux et en partie aussi dans les plantations de sous-arbrisseaux, où il limite largement la levée de mauvaises herbes. En outre, ce mulch dont le parfum évoque celui de la forêt est volontiers utilisé pour couvrir les sentier où il forme une légère couverture naturelle.

Depuis quelques années, on trouve des **films plastiques** spéciaux dans le commerce. Ils sont sombres et tout à fait opaques, ce qui garantit à 100% la lutte contre les mauvaises herbes. Par ailleurs, leur couleur sombre permet de réchauffer la couche superficielle du sol. C'est pourquoi ils conviennent tout particulièrement aux végétaux aimant la chaleur comme les cornichons et le paprika. Dans les parterres de fleurs, ils sont au mieux utilisés pour la préparation du sol, car ils ne sont pas nécessairement esthétiques. Certains films présentent des entailles, qui déterminent la place des plantes, mais encore faut-il qu'ils soient fendus à la bonne place.

Certains films sont biodégradables. Une fois posés, il ne faut plus s'en préoccuper. Les films n'étant pas biodégradables présentent bien sûr l'avantage de pouvoir être réutilisés. Pour couvrir de petites surfaces et les préserver de la levée des mauvaises herbes; on peut aussi déchiqueter des boîtes en carton et les répandre sur le sol. Le **carton** est aussi fiable pour empêcher la pousse des mauvaises herbes et se décompose comme eux au fil du temps comme les films biodégradables.

Réaliser le mulchage au printemps?

Une couverture du sol au printemps empêche un réchauffement trop rapide par le soleil. Pour cela il faut bien libérer les parterres. Autour des arbres fruitiers il faut réfléchir à la question, parce que la couche de mulch influence le micro-climat et il faut éviter les dégâts aux fleurs dûs au gel. (voir p. 78).

Une couche de mulch n'est pas souhaitable peu de temps avant le semis, car elle peut freiner la germination des semences et devenir alors un abri idéal pour les limaces, qui sont en cette période, les plus grandes causes de dégâts.

Le compostage de feuilles: un peu différent

Les non initiés confondent souvent le mulch et le compost de feuilles. La différence n'est pas grande, mais peut être expliquée clairement: tandis que le compost de feuilles étalé sur un parterre doit être retourné pour en activer la décomposition, le mulch doit couvrir et protéger le sol sur une grande surface.

Le fait que le mulch se décompose avec le temps est secondaire. La couverture de feuilles quant à elle doit permettre au cycle naturel de la matière de s'effectuer sur le sol, plutôt que sur un tas. Pour ce faire, les matières en décomposition doivent être étalées sur une épaisseur ne dépassant pas les 10 cm, comme c'est souvent le cas pour les déchets de légumes. Plus le sol est lourd, plus la couche sera fine. On peut ajouter de la poudre de roche, de la chaux ou de l'azote aux feuilles, selon les besoins. Lors de la décomposition, le sol se réchauffe, et le CO_2 dégagé ainsi accélère la croissance des plantes.

Le désavantage du compostage en surface au moyen de déchets ménagers ou de déchets provenant du jardin est manifeste: cela n'est pas esthétique. Et en se décomposant, les déchets dégagent aussi un gaz ammoniacal toxique (NH_3), qui entraîne une perte d'azote et nuit à la végétation. C'est pourquoi on ne devrait pas directement cultiver un sol après un compostage en surface.

Lors d'un compostage de surface, il suffit de laisser les restes de plantes se décomposer dans la couche supérieure.

Analyse du sol

Avant de commencer un amendement systématique du sol par des moyens mécaniques ou l'apport de substrat et d'éléments nutritifs, il est utile de procéder à un inventaire du sol, en tenant compte d'éléments très simples:
• l'emplacement du jardin (quelle orientation? Au sud ou à l'ombre, dans un creux, etc.),
• la composition de la roche basique du sol,
• la manière dont le sol a été exploité au cours de la dernière décennie,
• la quantité de précipitations.

Souvent, on peut déjà remarquer là où il est nécessaire d'intervenir, en observant, par exemple, les plantes affaiblies, ou en détectant la présence de flaques d'eau ou d'endroits imperméables. Il faudra tenir compte des ces phénomènes lors de l'établissement du diagnostic. L'analyse chimique permet de chiffrer le niveau des éléments nutritifs et les réactions du sol. Le résultat est bien entendu très scientifique et exact, mais comme il s'agit ici d'organismes vivants, il ne faut certainement pas rejeter la connaissance intuitive.
C'est l'état du sol qui permet de déterminer quel type de végétation va pousser de manière spontanée. Et donc, en travaillant en sens inverse, en analysant les groupes de plantes qui s'y trouvent, on pourra tirer des conclusions sur l'état du terrain (voir p. 20).
Le jardinier amateur dispose de deux techniques faciles pour déterminer de manière plus naturelle les caractéristiques naturelles du sol: le test des doigts et le test de la motte. Lorsqu'on tranche le sol de manière nette sur une profon-

Un jardinier professionnel peut retirer beaucoup de renseignements d'une analyse de sol.

deur de 20 cm, les diverses couches de terre, qui se distinguent facilement par leur coloration différente, donnent des indications précieuses sur la teneur en humus et la solidité de la couche radiculaire, en un mot, sur la qualité du sol. Le printemps est le moment idéal pour réaliser une analyse chimique, avant que la végétation n'apparaisse et que le jardinier ne se mette au travail. Néanmoins en automne, lorsque la croissance est terminée, l'analyse de sol livre des renseignements intéressants sur la manière de le préparer pour la saison prochaine. Les spécialistes conseillent de (faire) réaliser ce type d'analyse tous les 3 à 4 ans.

Set de tests à domicile

Il n'est pas absolument nécessaire de s'adresser à un grand laboratoire. Celui qui aime "jouer au petit chimiste", trouvera dans des magasins spécialisés des batteries de tests très valables à effectuer soi-même. Généralement, il suffit de réaliser une solution de base à partir des produits chimiques livrés dans la batterie; en comparant la couleur à un spectre de couleurs qui est joint, on disposera déjà d'une bonne partie des renseignements recherchés. Il est vrai que des tests individuels ont effectivement démontré que ces "mini-labo"

n'étaient fiables que pour déterminer le **pH** et la **teneur en nitrate** du sol (ce dernier étant de peu d'utilité pour le jardinier). La notice explicative accompagnant la boîte de tests explique également comment atteindre en un laps de temps très réduit et sans grandes connaissances chimiques préalables, les valeurs souhaitées. Les sets d'analyse permettant de déterminer les valeurs en potassium et phosphate sont par contre moins fiables, ainsi que les sondes à enfoncer dans le sol et qui permettent de déterminer les valeurs recherchées. Il existe également des laboratoires de chimie à domicile, très chers, et même des ordinateurs de poche qui mesurent les don-

Les sets de tests à réaliser à domicile sont simples et bon marché, mais donnent moins d'information qu'une analyse réalisée en laboratoire.

nées recherchées et les évaluent électroniquement. Mais l'investissement ne se révèle pas rentable pour un jardinier amateur. Depuis peu, de nombreuses firmes proposent des analyses de sol, partiellement sous forme de sets de test et partiellement sous forme d'offre d'analyse, effectuées par un laboratoire qui leur est propre. Il n'y a rien à redire sur la qualité de ces tests; il faut cependant ne pas perdre de vue que ces fabricants ont comme but premier, l'écoulement de leurs produits.

Verdict sans appel: les analyses de laboratoire

La plupart des entreprises proposent à peu de choses près le même service standard: la recherche des données concernant la valeur du pH, la teneur en phosphate, en potassium, en magnésium et les besoins en chaux ainsi que des conseils et la désignation du type d'engrais adapté à la situation. La majorité des laboratoires procurent également des informations sur les types de sol.

Le coût pour ces 4 à 6 chiffres déterminants est généralement assez réduit, mais peut cependant varier fortement de laboratoire à laboratoire. Ce genre de laboratoire peut également fournir, à la demande, des analyses plus détaillées ou plus étendues. Le prix augmente de manière proportionnelle au nombre de valeurs demandées. Le nombre de ces valeurs monte parfois jusqu'à 12, parmi lesquelles on trouve la teneur en humus, l'activité biologique et la détermination de différents éléments nutritifs secondaires ainsi des conseils explicites pour l'amendement du sol et son irrigation.

Il est bon de savoir que certains laboratoires se basent sur des principes agricoles ou se sont spécialisés: traditionnel, biologique, dynamique, organique etc. Le mieux est de s'informer à l'avance. La même règle vaut ici aussi comme ailleurs: on ne perd rien à essayer les conseils des autres.

Les adresses de ces laboratoires sont disponibles dans les grands centres de jardinage.

L'azote (N), la substance la plus importante, est malheureusement très difficile à déterminer. Si vous demandez à un laboratoire de déterminer la quantité totale d'azote, vous devrez certainement payer un supplément. Lors de cette analyse, c'est l'ensemble de la quantité d'azote présente dans le sol qui est mesurée, ce qui donne finalement peu de renseignements sur la quantité restant disponible pour les plantes.

Depuis quelques années, l'agriculture professionnelle applique la méthode N_{min}: c'est uniquement la partie d'azote minéralisée, celle précisément qui est rapidement disponible, qui est déterminée, ainsi les doses de fumure seront adaptées de manière précises aux besoins réels. Les bâtonnets testeurs, employés à domicile, ne permettent de mesurer que la quantité de nitrate minéralisée; il n'est pas tenu compte des formes solubles d'ammonium.

Les laboratoires peuvent aussi répondre à des questions très particulières et précises. Généralement il s'agit de problèmes liés à l'élimination de substances toxiques contenues dans le sol, et qui sont la conséquence de l'exploitation de surface (par exemple des pesticides, herbicides) ou qui sont arrivées dans le sol après avoir été transportées par l'air (par exemple les métaux lourds). Souvent ce ne sont que des suspicions et les analyses pourront alors confirmer ou infirmer le fait. Ce type d'analyse est souvent très cher. Il faut donc le réserver aux cas graves.

Le mieux, ici encore, est de s'informer auprès des différents laboratoires pour pouvoir comparer les prix car il peut exister de fortes différences.

Important: un échantillon représentatif

Etant donné les différences de traitements et de besoins, il est important de faire analyser la terre en provenance de plusieurs endroits du jardin: les parterres du potager, les bordures réservées aux fleurs vivaces, le verger etc. Il faut prélever des échantillons à ces différentes endroits pour obtenir un échantillonnage représentatif du sol. Pour cela, enfoncer la bêche sur une profondeur d'environ 20 cm, retirer un échantillon d'une épaisseur d'environ 2-3 cm et le déposer dans un seau. Rassembler ensuite les échantillons et les mélanger soigneusement après avoir

retiré les corps étrangers. Ensuite, et en respectant les prescriptions de l'institut (que vous aurez demandées au préalable), retirer entre 200 et 500 g de terre qui seront glissés dans un sachet plastique. Si vous envoyez plusieurs échantillons, n'oubliez pas de les annoter soigneusement. Ces références seront reprises dans la lettre qui accompagnera l'analyse de l'échantillon, et doivent reprendre les caractéristiques principales du terrain

Pour l'analyse en laboratoire, il faut rassembler des échantillons en provenance de différents endroits, que l'on mélange soigneusement avant de les envoyer avec une lettre d'accompagnement.

testé; le laboratoire envoie d'ailleurs généralement des formulaires pré-imprimés à ce sujet. Après avoir soigneusement emballé le tout, il suffit de l'envoyer au laboratoire le plus proche ou au laboratoire de votre choix.

Principes pratiques d'amendement et de fumure du sol

Comme vous l'avez découvert dans les chapitres précédents, l'éventail de possibilités permettant d'influencer la structure et l'équilibre en éléments nutritifs du sol est très étendu:
- bêchage ou allégement de surface
- introduction d'engrais nutritif ou de compost
- introduction d'un humus stable, entre autre sous la forme de compost arrivé à maturité
- mulchage, c'est-à-dire recouvrement du sol en friche
- fumure par plantation de plantes vertes qui s'enracinent profondément dans le sol
- épandage de chaux, de farine de roche ou autres produits pour l'amendement afin de stimuler les caractéristiques chimiques et physiques du sol
- apport direct d'engrais pour procurer les éléments nutritifs, avec des substances organiques et, pour combler rapidement les déficits, avec des engrais minéraux.
- Pour pouvoir appliquer toutes ces mesures de manière adéquate, il est recommandé de procéder régulièrement à des analyses de sol.

Dans le jardin potager, une bonne alternance dans le choix des fruitiers et des cultures constitue déjà un apport appréciable pour l'amendement du sol et l'alimentation des plantes. L'amélioration de la terre peut être grandement favorisée par un **choix judicieux** des plantes voisines, avec des racines de forme diverses mais des exigences identiques. On obtient ainsi aussi une couverture du sol plus efficace que lorsqu'on procède par monoculture, de sorte que l'humidité et la granulométrie de la terre sont mieux préservées tout en laissant moins de chance aux plantes sauvages.

Pour réaliser une alternance positive, il faut se préoccuper d'abord des relations entre les diverses familles pour éviter un épuisement unilatéral du sol ou au contraire un enrichissement inutile en certaines substances. Il faut également tenir compte des besoins en éléments nutritifs: après une fumure importante, on plante en premier lieu les grands consommateurs; les consommateurs moyens suivent l'année suivante, viendront finalement, en dernier lieu, les petits consommateurs (voir p. 74) pour recommencer avec la fumure suivante.

Entre les deux fumures on ne procédera plus qu'à des apports d'engrais à impact rapide.

La mixité et l'alternance des cultures sont les règles de base pour maintenir le sol fertile.

C'est surtout dans le potager que l'on peut tenir compte d'exigences différentes.

perdue précédemment. C'est ainsi que les instances officielles en sont venues à considérer qu'une couche de compost d'une épaisseur de 1 cm couvrait tous les besoins en éléments nutritifs, à l'exception cependant de l'azote. Si les différentes cultures reçoivent, après la fumure de base, encore une fumure de démarrage et par la suite une fumure principale, cela n'a rien à voir avec un déficit en éléments nutritifs au niveau du sol mais avec un certain décalage entre les besoins des plantes et l'apport supplémentaire en éléments nutritifs à assimilation rapide (il s'agit généralement d'azote).

Lorsque des plantes améliorées sont cultivées dans un milieu inapproprié avec un apport supplémentaire d'éléments nutritifs, de sorte qu'elles trouvent à ce stade de développement une offre optimale, il faut bien se rendre compte qu'une bonne partie des éléments nutritifs n'est pas nécessaire à l'équilibre du sol.

Les résidus de fumure sont d'ailleurs un des grands problèmes actuels: le sol de quasiment tous les jardins potagers a une teneur en phosphate et en potassium manifestement beaucoup trop élevée (voir p. 9) et également un excédent de chaux. L'azote se retrouve par la suite sous forme de nitrate dans les eaux souterraines ainsi

Fumure ou entretien du sol?

Les mesures préconisées pour l'entretien du sol dépendent essentiellement du type de sol, de la saison, du climat et de l'exploitation spécifique. Les conseils se rapportant à ces différents points sont détaillés dans les chapitres suivants.

Ce qui reste un tantinet plus difficile et d'un impact plus général, c'est la détermination des besoins réels du sol en éléments nutritifs.

Lorsqu'on pratique une agriculture biologique ou naturelle très stricte, la fumure directe est généralement considérée comme étant inutile. Pour la

remplacer, il faudrait arriver à produire de l'humus grâce à des apports réguliers de compost; ce dernier contient tellement d'éléments nutritifs que les apports doivent être soigneusement dosés afin de ne pas surcharger le sol.

Et même si on ne partage pas l'opinion des jardiniers-bio, il faut bien constater qu'une transformation radicale a vu le jour ces dernières années dans les conseils de fumure. C'est surtout au niveau de la culture des fruits et des légumes que les pertes en éléments nutritifs, qui auraient dû influencer de manière arithmétique la récolte, restent limitées à une fraction de la valeur que l'on supposait

que dans les aliments.
Les méthodes d'analyse modernes et les conclusions qu'on a pu en retirer, constituent un réel pas en avant à l'égard d'une conception plus traditionnelle des choses qui estimait "Plutôt trop que trop peu". Dans la plupart des cas, la fumure avec des engrais contenant du phosphate et du

Lors de la détermination conventionnelle des besoins en éléments nutritifs, on procède souvent à une petite addition qui n'arrive cependant jamais à correspondre vraiment à la vie complexe du sol: on suppose un certain taux de minéralisation des éléments nutritifs des éléments organiques de base présents, on ajoute les fumures excédentaires des cultures précédentes ainsi que la valeur nutritive des restes de récolte ou d'un engrais vert et on déduit de cette manière les besoins en éléments nutritifs des cultures envisagées. La méthode N. essaie de déterminer de manière aussi précise que possible la quantité d'azote contenue dans le sol pour la comparer aux besoins. Les agriculteurs professionnels disposent de tableaux très détaillés.

potassium est déconseillée. En ce qui concerne l'azote, on part en général du principe qu'une fumure supplémentaire est nécessaire. Si le but premier n'est pas un rendement supérieur, il suffit d'adapter les mesures préconisées à leur niveau minimum.

Un cas particulier: l'azote

Il est difficile de calculer précisément la quantité d'azote. De la quantité totale d'azote mesurée, seule une infime quantité est disponible et l'azote soluble (pouvant être mesurée sous forme de nitrate et ammoniaque) ne tient pas compte des quantités qui sont minéralisées au fil des ans sous

l'effet des organismes se trouvant dans le sol.
Un excès d'azote est également nocif, même davantage qu'un déficit. En règle générale, l'homme vit mieux avec une alimentation sobre qu'avec une alimentation trop riche, qui occasionne chez les plantes comme chez les humains des "surcharges pondérales ". Un excès en azote peut rendre le sol plus sensible aux maladies et à la vermine. Pour obtenir une récolte optimale, il est vital de déterminer une fumure très ciblée, de sorte que les plantes puissent profiter à tous les stades de leur développement

Une couche de compost d'1 cm d'épaisseur permet de couvrir tous les besoins en éléments nutritifs, à l'exception de l'azote.

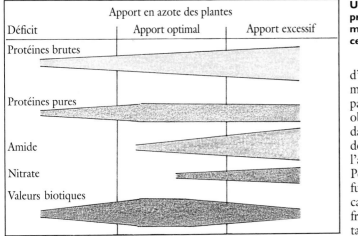

Apport en azote des plantes

Déficit | Apport optimal | Apport excessif

Protéines brutes

Protéines pures

Amide

Nitrate

Valeurs biotiques

Un apport excessif en azote provoque une augmentation des matières vitales mais aussi de celles qui posent problème.

d'un approvisionnement en éléments nutritifs optimal et non pas maximal. Celui qui veut obtenir la récolte la plus abondante possible sur son lopin, doit absolument travailler avec l'analyse de sol.
Pour déterminer la quantité de fumure nécessaire par mètre carré, sur base d'un besoin chiffré, il suffit de se référer au tableau ci-dessous.

Table de conversion: Combien d'engrais faut-il mettre pour combler des besoins qui correspondent à 1, 3, 5, 10, 15 ou 20 g par mètre carré? (Les chiffres sont arrondis.)

Quel élément nutritif avec quel engrais:	dose souhaitée par mètre carré:					
	1 g	3 g	5 g	10 g	15 g	20 g
Azote (N)						
Engrais de corne ou sang séché (10-15 %)	7 g	20 g	35 g	70 g	100 g	140 g
Déchets de ricin (5 %)	20 g	60 g	100 g	200 g	300 g	400 g
Engrais organique complet (7 %)	15 g	40 g	70 g	140 g	210 g	280 g
Sulfate d'ammoniaque Nitrate de chaux (20 %)	5 g	15 g	25 g	50 g	75 g	100 g
Phosphore (P_2O_5)						
Poudre d'os (25%)	4 g	12 g	20 g	40 g	60 g	80 g
Guano (12%)	8 g	25 g	40 g	80 g	120 g	160 g
Scories phosphatées (15-20 %)	5 g	15 g	25 g	50 g	75 g	100 g
Potassium (K_2O)						
Sulfate de potassium (25-30 %)	3 g	10 g	16 g	30 g	50 g	65 g
Cendre (env. 10 %)	10 g	30 g	50 g	(pas à recommander)		
Chaux ($CaCO_3$)						
Poudre d'algues (70 %)	1,5 g	4 g	7 g	14 g	20 g	30 g
Carbonate de chaux (env. 85 %)	1,2 g	3,5 g	6 g	12 g	18 g	24 g
Nitrate de chaux (env. 60 % CaO!)	1 g	2,5 g	4 g	8 g	12 g	32 g
(CaO a un effet double au $CaCo_3$)						

71

L'emploi correct du compost

Quel compost pour quel usage?

Un compost peut aussi provoquer un excès de fumure. De nombreux jardins où l'analyse de sol a mis en évidence des taux excessifs de phosphore, potassium et magnésium, étaient des jardins qui avaient reçu exclusivement une fumure organique.

Une couche de compost d'1 cm d'épaisseur, appliquée une fois l'an, constitue un apport suffisant en éléments nutritifs dans de nombreux types de cultures. Seule l'azote doit être ajoutée pour obtenir une nutrition optimale des plantes de culture. Ce n'est pas pour cela qu'il faut limiter l'usage du compost aux parcelles travaillées, il doit être réparti sur la totalité du jardin.

Un **compost frais**, âgé de 2 à 6 mois (voir p. 38) contient encore une grosse part de substances actives sous forme de micro-organismes et de matériaux à moitié digérés qui provoquent une transformation plus rapide dans le sol, de sorte que les éléments nutritifs sont libérés; l'humus obtenu de cette manière est relativement vite décomposé. Le compost frais doit donc être mûri, pour éviter qu'il ne provoque des dégâts lors d'un test de germination.

Un compost de six semaines peut déjà être étendu, mais uniquement sous forme de mulch, non pas incorporé mais réparti à la surface. Pour éviter que les organismes contenus dans le sol ne disparaissaient immédiatement, il est nécessaire de conserver ce mulch à un taux d'humidité constant pendant les premières semaines.

Un **compost arrivé à maturité**, et il doit avoir notre préférence, permet une amélioration constante de la structure du sol grâce à sa teneur en humus stable. Un compost riche aura par conséquent la priorité dans les nouvelles parcelles; dans ce cas précis, la couche de compost peut certainement atteindre quelques centimètres d'épaisseur.

L'idéal est de répandre le compost en plusieurs étapes.

Le compost est très précieux dans le sillon destiné au semis.

Pour un extrait de compost: laisser reposer 1 l de compost arrivé à maturité dans 10 l d'eau pendant 1-2 semaines, le diluer dans une proportion 1:10. Ce mélange, vaporisé, apporte rapidement des éléments nutritifs; le système immunitaire en est renforcé et la sensibilité aux maladies diminue.

Le compost mûr est surtout recommandé pour un sol lourd car il permet un meilleur échange entre l'air et l'eau.
Un sol léger et sablonneux n'est pas capable de retenir beaucoup d'éléments nutritifs et ne profite à court terme que de la fumure avec du compost frais. A long terme, il faut naturellement aussi envisager la formation d'une couche d'humus permanente. Une autre différence qui apparaît sur un sol léger: parce que l'air peut pénétrer plus profondément, le compost peut aussi être incorporé plus profondément. Dans un sol lourd, les organismes du sol qui ont besoin d'azote pourraient étouffer si la couche de compost était incorporée à une profondeur supérieure à 10 cm.

Le bon moment

Lors de la préparation au printemps des parterres pour semis et rempotage, il faut se limiter à du compost riche. Une activité trop importante n'est pas souhaitable pour de jeunes cultures; elle empêcherait la formation des racines. Le processus de décomposition qui continuerait dans le parterre pourrait endommager les petites plantes très sensibles au stade de la germination.
Traditionnellement, le compost est épandu en automne. Sous l'influence de la problématique de l'environnement, c'est maintenant déconseillé. Les éléments nutritifs libérés ne sont plus assimilés en automne par les plantes, de sorte que les déchets passent dans l'eau sous forme d'impuretés.
En tenant compte d'autre types de pollution, il faut quand même faire remarquer que le jardinier qui utilise exclusivement un compost équilibré comme fumure, peut en cas de

besoin également, le répandre de temps à autre en automne. Il doit de préférence semer de l'engrais vert, capable de lier les éléments nutritifs excédentaires. En principe, le compost n'est pas étalé en une dose annuelle unique. Pour obtenir un effet durable, le compost doit être répandu en trois ou quatre fois et atteindre partout l'épaisseur désirée.

Exemple chiffré
Pour recouvrir 1 m² de parterre d'une couche de compost d'une épaisseur d'1 cm, il faudra un seau entier de 10 l. Une brouette pleine suffit à recouvrir 5 m. 1 m de compost pèse, à l'état sec, entre 500 et 1200 kg et suffit pour un jardin d'une superficie de 100 m².

Pratique de l'amendement du potager

L'activité du jardinier-amateur se révèle souvent de la manière la plus intense au potager. C'est aussi là que l'on constate le plus rapidement le lien qui existe entre l'apport de fumure et la qualité de la récolte; de plus, les différentes sortes de légumes peuvent être traités de manière individuelle.

En se basant sur leurs besoins en éléments nutritifs, on distingue des gros, des moyens et des petits consommateurs. Les grands consommateurs sont les légumes à grands fruits, notamment ceux qui font parties de la famille des choux. Pour pouvoir se développer, ils ont besoin de l'ensemble des éléments nutritifs et peuvent être fumés avec de l'engrais frais.

Tout à l'opposé, les petits consommateurs doivent recevoir leur fumure propre, bien qu'ils profitent également des restes des autres cultures. Entre les deux extrêmes se situent les consommateurs moyens: bien qu'ils doivent recevoir une certaine quantité de fumure, ils ne sont pas aussi exigeants que les grands consommateurs.

Et à côté de cela, il y a toute une série de cas particuliers: les carottes, oignons et radis font parties des consommateurs moyens, alors que l'ail fait partie des grands consommateurs. Les matières organiques attirent les mouches des légumes, qui attaquent volontiers ces espèces. C'est pour cela qu'il est indispensable de n'employer que du compost (ou du fumier) arrivé à maturité et qu'il est déconseillé de semer sur un sol qui vient juste de recevoir une dose de fumure.

Les haricots et les pois se différencient par les bactéries produites par leurs tubercules, qui enrichissent le sol en azote. Ces légumineuses ne peuvent pas recevoir de fumures azotées.

Les herbes condimentaires n'ont pas d'exigences particulières. A l'exception des sortes à croissance rapide (persil, ciboulette, raifort, citronnelle, origan, livèche) qui sont à classer parmi les consommateurs moyens, il suffit de réaliser un apport sporadique et limité de compost arrivé à maturité.

A gauche: sur ce parterre en butte, le chou pommé et la tomate profitent d'un supplément d'éléments nutritifs.
A droite: les plantes condimentaires se contentent d'un apport irrégulier de compost riche.

Compost et azote supplémentaires

Seul le compost convient avant le semis.

Pour les petits consommateurs, 5 l/m² de compost de jardin suffisent pour combler tous les besoins en éléments nutritifs. Les consommateurs moyens demandent déjà entre 7 et 10 litres. Pour soutenir leur croissance, on peut ajouter un peu d'azote. Les grands consommateurs reçoivent, eux, 10 à 15 litres de compost frais par mètre carré; si le compost est riche en éléments nutritifs, 6 à 8 litres suffisent amplement. Les grands consommateurs aiment démarrer leur croissance avec une cuillère de compost déposée dans le trou de plantation. Pour réussir une croissance optimale des grands consommateurs, il faut passer à une fumure riche en azote: de préférence 100-120 g/m² de farine de poudre de corne ou de farine de sang

Si vous travaillez en cultures mixtes, les quantités données ne vous aideront pas, car elles sont calculées en mètres carrés. La conversion est cependant très simple: il suffit de regarder la distance qui sépare les rangs. Si la distance est par exemple de 20 cm, la quantité donnée pour 1 m² est suffisante pour une longueur de rang de 5 m (5m x 0.2m = 1m²). Si la distance entre les rangs est de 25 cm, cela équivaut à une longueur de rang de 4 m, pour 33 cm 3 m et pour 50 cm, 2 m.

séché. On peut réaliser un apport individuel en leur versant une quantité équivalente à une pelle plus ou moins pleine. Pour des consommateurs moyens, 60-80 g/m² suffisent. Répandez le compost en plusieurs étapes. Si vous disposez d'une quantité de compost insuffisante, limitez-vous aux besoins les plus importants:
• une dose de compost frais pour les grands consommateurs,
• ne pas répandre le compost arrivé à maturité sur l'ensemble du parterre mais le disperser dans les sillons préparés pour le semis, après l'avoir tamisé. Les différentes substances peuvent ensuite être administrées séparément. Parfois il est nécessaire de compléter avec un engrais complet (de préférence organique): 50 g permettent déjà de compenser les déficits en phosphore et potassium même pour les grands consommateurs. Si l'on dépose une couche d'1 cm de compost par an, les engrais complets deviennent superflus. Les suppléments peuvent aussi être répandus en deux périodes: une au début de la préparation de base, la deuxième, appelée fumure principale, quand les plantes ont dépassé le stade de jeunesse et commencent à former des fruits, c'est-à-dire de juin à la mi-juillet. Pour les grands consommateurs, il est possible de répartir la fumure en trois doses. Du purin d'orties ou d'orpin semble convenir particulièrement bien pour des fumures principales répétées.

Chaque chose en son temps

Comme les semis réagissent fortement à un compost immature, il faut le répandre dès l'**automne** sur les parterres, surtout si vous les recouvrez avec du mulch ou que vous semez un engrais vert. Les résidus des plantes seront incorporés au printemps dans le sol. Il faut néanmoins tenir compte d'une perte par ruissellement. On peut aussi étendre un peu de compost frais en guise de fumure, entre les jeunes plantes. **Avant de procéder au semis,** le parterre est égalisé. S'il reste en jachère jusqu'aux saints de glace, semez un engrais vert à croissance rapide.

Il est évident que ni du compost frais, ni de la fumure à base de farine de sang séché ou de farine de poudre de corne, mis au **printemps**, ne pourront livrer suffisamment d'azote tant que l'activité des organismes du sol n'a pas encore démarré. Pour approvisionner rapidement les jeunes plantes, il ne faut pas se tourner vers les engrais minéraux: les déchets de ricin, par exemple, représentent un engrais organique à effet rapide.

La première dose d'engrais supplémentaire est ajoutée en surface après avoir retiré la couverture de mulch ou d'engrais vert. Ce qui permet d'éliminer des plantes sauvages.

La chaux destinée à l'amélioration de la structure de base,

La couche chaude pour légumes hâtifs

Celui qui désire cultiver dès février de la salade, du céleri-rave et des radis, doit se tourner vers la couche chaude. Pour cela, vider le sol d'une couche à semis sur une profondeur de 40-60 cm et remplir ensuite le trou avec de la paille mélangée à du fumier (de cheval). Le vapeur chaude qui s'en dégage protège le sol du gel. Et par la suite les plantes se nourriront de ses éléments nutritifs. Après le retrait du sol à l'abri du gel, isoler temporairement les parois extérieures contre la morsure du gel, jusqu'à ce que la fumure soit disponible. Celle-ci sera étalée en une couche d'une vingtaine de cm d'épaisseur et recouverte d'au moins 20 cm de terre de jardin. Avant de semer ou de planter, il faut laisser le sol s'aérer encore pendant quelques jours.

doit être répandue en automne ou au printemps, mais dans ce dernier cas il faut se mettre à une certaine distance des sillons à semis. Les parterres pour légumes qui reçoivent régulièrement du compost souffrent généralement d'un excès de chaux. Si vous donnez annuellement environ 100 g de **poudre de roches** par mètre carré, il est préférable de diviser cette quantité en deux doses, une au printemps et une en été. Si les poudres sont grossières vous pouvez déposer de plus grandes quantités, comme c'est le cas pour des endroits acides ou sablonneux. Le meilleur résultat est obtenu avec de la poudre de roches dans des parterres destinés aux haricots et aux pois.

Les exigences des légumes de A à Z

Ail - grand consommateur, mais sensible à l'engrais frais ou au compost; sol argileux.

Asperge - consommateur moyen; sol léger, calcaire; uniquement du compost mûr.

Betterave rouge - consommateur moyen; sol calcaire; tendance à enrichir en nitrate.

Carotte - consommateur moyen, sensible à l'engrais frais ou au compost; sol aéré.

Céleri - grand consommateur; enracinement superficiel, recouvrir de mulch; besoins assez élevés en phosphore. Ajouter éventuellement du sel de cuisine pour former des réserves de chlorure.

Chicorée - consommateur moyen.

Chou chinois - moyen à grand consommateur; besoin assez limité en azote.

Chou-fleur, brocoli - grands consommateurs, besoin élevé en azote, racines profondes; sol neutre; fumage principal avant la formation des bouquets.

Chou (pommé) - grand consommateur, s'enracine profondément; grand besoin en azote; sol argileux.

Chou-rave - consommateur moyen.

Concombre - grand consommateur; réagit favorablement au mulch et au silicium.

Courgette - grand consomma-

teur, aime pousser sur du compost.

Epinards - petits à moyens consommateurs, besoin en phosphore et potassium relativement grand; sol calcaire; tendance à l'enrichissement en nitrate.

Endive - consommateur moyen.

Fenouil - consommateur moyen.

Haricots - accumulent de l'azote pour le sol - pas d'engrais azoté; sol calcaire et léger; couper les féveroles et butter.

Oignon - consommateur moyen, sensible à l'engrais, au compost, au sel; sol acide.

Petits pois - accumulent de l'azote pour le sol - pas d'engrais azoté; assez grand besoin en phosphore.

Poivron - consommateur moyen à grand.

Pomme de terre - consommateur moyen, améliore la maturité du sol; sol limoneux ou acide; butter.

Potiron - voir courgette.

Radis - petit consommateur.

Raifort - consommateur moyen, sensible à l'engrais et au compost; pas trop de chaux.

Rhubarbe - grand consommateur; sol acide; dose de compost au printemps.

Salades - consommateurs moyens; tendance à l'enrichissement en nitrate.

Salade de blé - petit consommateur; enrichit en nitrate.

Tomate - grand consommateur; mulchage, de préférence à partir de restes propres; sol chaud; besoin assez élevé en potassium.

Les radis appartiennent aux petits consommateurs.

La pratique de la fumure au verger

Pour les fruits, l'entretien de la zone entourant la racine est particulièrement importante. Pour soigner de manière optimale les arbres et les buissons, cette surface doit être libre de toute végétation ou/et recouverte d'engrais vert ou d'autres végétaux favorables. Ce genre de surface est facile à libérer et à entretenir, et il est aisé d'y incorporer d'autres substrats. La surface restante non employée est particulièrement indiquée pour l'ensemencement avec de l'engrais vert. On choisit souvent des fleurs colorées pour leur effet esthétique, que l'on laisse venir jusqu'à floraison, ce qui bien sûr va de pair avec une consommation d'éléments nutritifs. Les capucines sont plantées traditionnellement autour des arbres, car elles éloigneraient les pucerons.
A l'inverse du potager, le verger ne nécessite pas une fumure intensive. Ce n'est pas une raison pour négliger complètement les fruitiers; dans beaucoup de jardins, on constate qu'ils sont littéralement "affamés". La quantité de fumure qui leur est nécessaire correspond à celle des consommateurs moyens; avec un compostage normal, une fumure supplémentaire n'est pas nécessaire.

Avant et après la floraison, avant et après la récolte

Un apport de compost après la récolte stimule les conditions nécessaires à une bonne floraison l'année suivante. Pour certaines sortes de fruitiers, la période d'apport de compost semble trop tardive: en effet, les éléments nutritifs doivent être stockés par les racines s'ils veulent être rapidement disponibles l'année suivante; une fumure trop tardive empêche la maturation du bois avant l'hi-

Une récolte abondante de fruits nécessite un amendement spécialisé du sol.

ver, ce qui implique l'apparition de jets immatures.
C'est pour cette raison qu'il faut disposer d'une réserve d'éléments nutritifs, au cas où il

 Attention, poires tendres!
Des poires et des pommes entreposées les unes sur les autres peuvent présenter sous la peau des taches brunâtres. Indépendamment de la sorte et du climat, ces taches sont dues à un manque de calcium, lui-même provoqué par un déséquilibre existant entre les autres éléments nutritifs que sont le magnésium et le potassium. Dès l'apparition de cette maladie, il faut diminuer la fumure normale et la remplacer par une dose plus grande de chaux.

deviendrait nécessaire de fumer en octobre.

En mars/mai, il est bon de répandre une couche de compost de 1-2 cm (10-15 l) d'épaisseur sur le sol entourant l'arbre; une fumure à base de compost, riche en éléments nutritifs, est optimale pour favoriser un bon départ à la nouvelle saison. Après la floraison ou juste avant la récolte, il est encore possible d'améliorer la récolte avec un engrais liquide pour plantes ou tout autre engrais à effet rapide.

Dans ces cas-là, l'épandage de poudre de roche est bénéfique mais à raison de 100 g/m² tout au plus.

Dans le temps, on essayait de compenser les besoins en chaux et en potassium par un apport en cendre de bois; actuellement on conseille d'en limiter l'usage aux cas où une analyse du sol révèle un déficit réel.

Les baies ont besoin de mulch

Pour les arbustes à baies, légèrement moins exigeants, il suffit généralement de déposer une couche de mulch avant de passer à l'apport en substances organiques. La framboise et la mûre doivent être recouvertes toute l'année d'une couche de mulch, par exemple de mulch d'écorce. Groseilles et groseilles à maquereaux préfèrent une couverture qui se décompose (comme par exemple de l'herbe coupée), et que l'on retire au printemps afin que le sol puisse se réchauffer plus rapidement. Toutes les sortes d'arbustes à baies peuvent recevoir du compost au printemps ou éventuellement un engrais organique complet.

Les fraises apprécient un épandage de mulch de paille juste après la floraison, car il contribue à maintenir l'humidité du sol et stimule ainsi la formation constante des fruits; les fruits en train de mûrir disposent alors d'une sous-couche sèche, douce et acide. A l'exception de la fumure de printemps, il faut prévoir pour les fraises, comme pour les fruitiers, une dose de compost frais étalé immédiatement après la récolte ou bien une fumure complète, riche en phosphate, sous forme de guano par exemple.

La framboise et la mûre demandent un sol recouvert toute l'année.

Exigences particulières:

Le raisin: a besoin autant que possible d'un sous-sol léger et chaud et accepte une bonne dose de compost. Le recouvrir au niveau des racines de mulch réalisé à partir de brindilles de bois hachées.

La noix: préfère également un sol léger et chaud.

Les airelles et myrtilles: demandent un substrat acide, par exemple à base de compost réalisé avec des feuilles de chêne; ajouter un peu de tourbe.

L'amendement du sol du jardin d'agrément

Si l'on dispose d'une assez grande quantité de compost, il ne faut pas en limiter l'usage au jardin potager: toutes les plantes d'ornement en ont besoin. Les jardins de rocaille, les champs de fleurs et les autres coins naturels du jardin ne demandent aucun apport d'engrais. La végétation indigène qui y pousse risque tout simplement d'étouffer sous une quantité excessive d'éléments nutritifs. Il est parfois utile de modifier la structure du sol par l'apport d'une fine couche de compost et de poudre de roches. Les plantes vivaces

Le conifère souffre souvent d'un manque de magnésium.

et les fleurs d'été par contre, ont régulièrement besoin, tout comme les arbustes d'ornement et la pelouse, d'une dose de nourriture adaptée. Ne pas oublier que la condition déterminante d'une bonne croissance reste malgré tout le choix de l'emplacement.

L'aliment beauté

Les arbustes d'ornement sont généralement très discrets. Une couche de mulch de feuilles suffit à combler leurs besoins principaux. Pour une croissance optimale, il est nécessaire d'étaler une couche de compost d'un bon centimètre d'épaisseur. Le printemps reste la meilleure saison pour la dépo-

ser. Pour les arbustes ornementaux à fleurs, de variétés améliorées, on peut ajouter après la floraison un engrais à base de phosphore (guano). A partir du mois d'août, arrêter l'apport d'engrais.

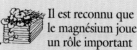
Il est reconnu que le magnésium joue un rôle important dans l'alimentation des conifères, et il faut garder ce fait à l'esprit lors de la fumure. Lors d'un déficit en magnésium, il suffit de réaliser un apport supplémentaire de cette substance.

Les rhododendrons sont un cas particulier en ce qui concerne les **plantes de tourbe**, tout comme la bruyère. Ils exigent un substrat acide, réalisé à base de compost de feuilles ou de tourbe. En ce qui concerne leurs exigences, les **plantes vivaces** se situent entre les petits et les moyens consommateurs. Strictement parlant, il faut faire une différence entre les plantes vivaces sauvages, qui ne demandent pas de nourriture supplémentaire, et les plantes cultivées qui, sans un apport adapté, auront une floraison insuffisante. Les asters d'automnes à haute tige, ont des besoins assez élevés, ainsi que les phlox, les pieds d'alouette et les plantes du style "soleil" (*Hélianthus, Heliopsis, Helenium*). L'hémérocalle se laisse gâter par un compost de fumier très riche; le fumier frais n'est pas à conseiller dans des parterres de plantes vivaces. Les besoins en azote ne sont pas satisfaits complètement par le compost. Dans le cas des plantes vivaces, cette substance se dirige plus vers les feuilles que vers les fleurs. Un apport en chaux se révèle aussi nécessaire, mais seulement en fonction des résultats de l'analyse de sol.

Une ou plusieurs poignées de compost arrivé à maturité favorisent le démarrage de la croissance des fleurs d'été, des plantes vivaces et des arbustes d'ornement. A côté des apports annuels en compost, de mars/avril, on peut gâter les plantes en mai, avec une fumure de base. Pour les parterres de fleurs, il faut tenir compte du fait que la plupart des plantes s'enracinent superficiellement. Attention donc lors du binage destiné à faire pénétrer l'engrais.

Une **couche de mulch** est toujours la bienvenue autour des plantes vivaces, des arbres et des arbustes, et pas uniquement parce qu'elle étouffe les mauvaises herbes. Ces variétés supportent dans la majorité des cas du mulch d'écorce, contrairement aux fleurs d'été annuelles ou aux légumes, dont la croissance est influencée négativement par le tanin des écorces.

Les plantes d'ornement ne s'épanouissent pleinement que lorsqu'elles reçoivent un apport nutritif supplémentaire.

Les **fleurs d'été** brûlent leur énergie en une saison et sont très sensibles à une fumure riche en éléments nutritifs. Un engrais liquide administré chaque semaine ne sera efficace que pour les jardinières; il en va différemment dans un parterre de fleurs. Pour passer à la fumure, il faut attendre que les fleurs soient bien enracinées. A l'opposé des plantes vivaces, elles ne doivent pas attendre l'hiver pour atteindre leur maturité on peut continuer à les nourrir jusqu'en octobre ou aussi longtemps qu'elles fleurissent.

Pelouse ou prairie?

La pelouse, au contraire de la prairie fleurie, doit absolument recevoir des éléments nutritifs. Comme pour les autres parties du jardin, on fait d'abord appel aux vertus si efficaces du compost. Les 5 l/m², que vous ratisserez délicatement dans le sol, doivent néanmoins être finement tamisés, pour éviter un aspect inesthétique. Le compost arrivé à maturité convient même en usage sporadique pour l'enrichissement des prairies fleuries, pauvres en éléments nutritifs.

Si vous ne tolérez pas d'autres plantes ni de mousse dans la pelouse, une bonne fumure est primordiale car elle favorise la

Une belle pelouse ne va pas sans soins appropriés.

croissance de l'herbe. On peut employer un engrais organique complet riche en azote, après la deuxième tonte de l'année. Pour cela, répartir environ 100g/m² en deux ou trois doses, dont la dernière se fait au plus tard début août.

En cas de sécheresse, faire pénétrer la fumure par arrosage, peu importe la sorte employée.

En fait, pour de grandes surfaces, il vaudrait mieux renoncer complètement à la fumure supplémentaire: une prairie sans fumure verra toujours apparaître une grande diversité de graminées, qui non seulement sont superbes, mais font le bonheur des insectes. De plus, il faut éviter une fumure excessive du sol et l'apparition d'eau. Une dose de chaux au printemps empêche la progression de la mousse, parce que cette dernière préfère pousser dans un sol acide. Et la mousse est souvent un signe d'épaississement du sol. C'est pour cette raison qu'il faut alléger régulièrement le sol à l'aide d'un scarificateur.

Même sans engrais, une prairie se pare de multiples fleurs.

Traitement spécial réservé à la reine des fleurs

Bien que d'un point de vue strict, la rose doive être considérée comme un arbuste, elle demande (comme toutes les vedettes) des soins attentifs. Ce sont surtout les roses en parterre qui ont besoin d'un bon apport de compost au printemps. Après la première floraison, il ne faut pas oublier du compost frais ou de préférence un engrais organique complet. Pour répondre rapidement aux besoins de la génération suivante de fleurs, vous pouvez dissoudre l'engrais dans de l'eau ou le diluer avec une substance riche en éléments nutritifs (purin d'orties). A partir d'août, stoppez la fumure. Certains jardiniers ne jurent que par la méthode qui consiste à butter les rosiers avant l'hiver avec de la fumure. Mais la perte causée par le ruissellement hivernal rend une dose d'engrais nécessaire au printemps. Un compost à maturité peut poser des problèmes s'il contient des semences de mauvaises herbes. Car les retirer entre les pieds de rosiers recouverts d'épines est une besogne dont on se passe facilement.

Les parterres de roses demandent une bonne dose de nourriture. C'est pourquoi ils sont souvent buttés avec du compost, ou de la fumure purifiée des semences de mauvaises herbes.

INDEX

Titre original: *Kompost, Erde, Düngung* (Robert Sulzberger)
© MCMXCIV BLV Verlagsgesellschaft mbH, München. Alle Rechte vorbehalten.
© Zuidnederlandse Uitgeverij N.V., Aartselaar, Belgique, MCMXCVI. Tous droits réservés.
Cette édition par: Chantecler, Belgique-France.
Traduction française: A. Demuynck - Dejonckheere et M. Lesceux
D-MCMXCVI-0001-28

Source des illustrations: Toutes les photos sont de l'auteur sauf:
BASF 5, 8, 9; Eisenreich 20 b; Henseler 6, 80; Himmelhuber 10/11, 16/17, 46; Neudorff 65;
Niehoff 30; Redeleit 1 g, 1 d, 13, 24 h, 32/33, 34, 38, 39, 41, 42, 47, 48, 49, 50, 51, 54, 56/57;
Reinhard 1, 14/15, 22/23, 25, 26, 27, 31, 36, 59, 69/70, 77, 81; Ruckszio 35;
Sulzberger/Kopp 3, 15, 24 b, 28 g, 28 d, 61 h, 61 b, 65 h, 64, 73, 79